ACUDAMOS

AL SALVADOR

ACUDAMOS AL SALVADOR

REYNA I. ABURTO

DESERET
BOOK

Salt Lake City, Utah

Con amor, para mi esposo Carlos,
mis antepasados y mi posteridad;
así como para cualquier persona que esté buscando
la paz y sanación que Jesucristo ofrece
por medio de Su expiación que redime.

Originalmente publicado bajo el título de *Reaching for the Savior*, © 2021 Reyna I. Aburto

Deseret Book constituye una marca registrada de Deseret Book Company.

Visítenos en deseretbook.com

Library of Congress Cataloging-in-Publication Data

Names: Aburto, Reyna I., 1963– author.
Title: Acudamos al salvador / Reyna I. Aburto.
Other titles: Reaching for the Savior. Spanish
Description: Salt Lake City : Deseret Book, [2021] | Originally published under the title
 Reaching for the Savior. | Includes bibliographical references. | Summary: "Drawing
 upon her unique life experiences, Sister Reyna Aburto, Second Counselor in the Relief
 Society of The Church of Jesus Christ of Latter-day Saints, invites readers to join with
 her in strengthening Christ's Church"—Provided by publisher.
Identifiers: LCCN 2020047883 | ISBN 9781629728735 (hardback)
Subjects: LCSH: Jesus Christ—Mormon interpretations. | The Church of Jesus Christ of
 Latter-day Saints—Doctrines. | Christian life—Mormon authors. | Mormon Church—
 Doctrines.
Classification: LCC BX8656 .A2813 2021 | DDC 232.088/2893—dc23
LC record available at https://lccn.loc.gov/2020047883

Printed in the United States of America
LSC Communications, Crawfordsville, IN

10   9   8   7   6   5   4   3   2   1

ÍNDICE DE TEMAS

ACUDAMOS
AL SALVADOR

Se cuenta por ahí la anécdota de dos hermanos que eran sumamente perezosos. El padre de ellos era agricultor y trabajaba
incansablemente largas jornadas en su granja. A pesar de que trataba de enseñar a sus hijos el principio del trabajo arduo, estos se
rehusaban a seguir su ejemplo e instrucción, y aprovechaban toda
oportunidad para evitar hacer sus quehaceres.

Un día, como de costumbre, en su afán por huirle al trabajo,
los dos jóvenes se fueron a su escondite favorito. Uno de ellos se
acostó boca abajo sobre el pasto y el otro boca arriba junto a él. De
repente, el que estaba boca arriba vio algo en el cielo que nunca
había visto. Se trataba de un avión que volaba por encima de su
pequeño pueblo. Deseando compartir semejante espectáculo con
su hermano, exclamó: "¡Mira, arriba en el cielo! ¡Nunca había visto

algo así! ¡Debe ser un avión! ¡Es increíble!". Sin mover un dedo ni hacer el más mínimo intento de darse vuelta, y mientras estaba aún boca abajo, el hermano respondió: "¡Dichoso tú que lo puedes ver!". Era tanta su pereza, ¡que ni siquiera se dio vuelta para mirar hacia arriba!

Esta anécdota me recuerda el relato de cuando serpientes ardientes mordían a los hijos de Israel mientras se encontraban en el desierto y muchos de ellos murieron. El pueblo le rogó a Moisés que orara a Jehová y le pidiera que los protegiera de las serpientes. Cuando Moisés oró, Jehová le dijo que hiciera una serpiente, que la pusiera sobre un asta y que instruyera a los que habían sido mordidos que la miraran a fin de que pudieran vivir (véase Números 21:6–9).

Durante Su ministerio terrenal, el Señor Jesucristo aclaró que la serpiente en el asta era un símbolo de Él cuando dijo: "Y como Moisés levantó la serpiente en el desierto, así es necesario que el Hijo del Hombre sea levantado, para que todo aquel que en él cree no se pierda, mas tenga vida eterna" (Juan 3:14–15).

Me encanta la perspectiva más amplia que se encuentra en el Libro de Mormón. Nefi explicó que el Señor "dispuso un medio para que sanaran; y la tarea que tenían que cumplir era mirar; y por causa de la sencillez de la manera, o por ser tan fácil, hubo muchos que perecieron" (1 Nefi 17:41).

Alma también explicó estas verdades cuando dijo: "Pero fueron pocos los que comprendieron el significado de esas cosas, y esto a

causa de la dureza de sus corazones. Mas hubo muchos qu[e]
ron tan obstinados que no quisieron mirar; por tanto, perecieron
Ahora bien, la razón por la que no quisieron mirar fue que no creyeron que los sanaría" (Alma 33:20).

Según esos pasajes de las Escrituras, muchas personas del pueblo de Israel no miraron la serpiente en el asta para recibir sanación
debido a que era algo tan sencillo que no creyeron que tenía el
poder para sanarlos. A causa de su incredulidad o, tal vez, de su
"pereza espiritual", no hicieron ni el más mínimo esfuerzo de mirar. ¿Acaso no hay semejanza entre este relato y la anécdota de los
dos hermanos? ¿Podría también describirnos a nosotros en aquellos
momentos en los que nos negamos a acudir al Salvador y a hacer
las cosas sencillas que nos hacen volver el corazón hacia Él?

Durante nuestra existencia terrenal, en ocasiones nos encontramos en medio de tribulaciones y pesar. Pasamos por situaciones
desgarradoras y se nos dificulta hallar la fuerza para seguir adelante. En esos momentos, quizá sea difícil creer que, si acudimos
al Salvador y volvemos el corazón hacia Él, Él tiene el poder para
sanarnos.

En otras ocasiones, atravesamos por períodos de pereza espiritual en nuestra alma. Simplemente actuamos de manera mecánica
sin estar "anhelosamente consagrados" a acudir a Dios a fin de recibir ayuda de Él (D. y C. 58:27).

Yo me crie en la fe católica, y, a pesar de que creía en Dios,
carecía de un entendimiento claro respecto a Su naturaleza y Su

en Jesucristo, pero no comprendía verdadera-
cesitaba en mi vida ni que tenía que acudir a
iva a fin de ser salva mediante Su gracia. Podría
contraba en una especie de "adormecimiento es-
pinti... a "espiritualmente perezosa", sin el deseo de hacer
ningún tipo de esfuerzo por acudir al cielo en busca de ayuda o de
dirección para mi vida.

No fue sino hasta que tenía 26 años que volví en mí, como el
hijo pródigo (véase Lucas 15:17). En ese momento de mi vida, acababa de vivir la separación final de mi primer esposo; tenía un niño
de tres años, Xavier, a quien quería con toda el alma; y me encontraba llena de temor, desesperación y desesperanza. Fue entonces
que, mediante la luz de Cristo, recibí un testimonio del Evangelio
restaurado. De modo que sentí el deseo sincero de unirme a La
Iglesia de Jesucristo de los Santos de los Últimos Días y comenzar
a ser parte de este extraordinario trayecto del discipulado, con sus
altibajos, como nos sucede a todos.

Todo lo que necesitaba era tener el deseo de acudir al Salvador,
volver el corazón hacia Él, creer en Él y actuar de conformidad con
esa creencia. En ese entonces, no era perezosa en el aspecto físico;
de hecho, me hallaba sumamente ocupada y trabajaba arduamente
para suplir mis necesidades y las de mi hijo. No obstante, atra-
vesaba por un largo período de pereza espiritual en el que no me
esforzaba por acercarme a Dios.

De hecho, fue un sencillo acto de fe —un acto de acudir al

cielo— que llevó a cabo un joven de 14 años, lo que dio inicio al glorioso proceso de la restauración del Evangelio en esta "dispensación del cumplimiento de los tiempos" (D. y C. 128:18). Como sabemos, a esa temprana edad, José Smith se encontraba en medio de una guerra de palabras y un tumulto de opiniones (véase José Smith—Historia 1:10). ¿Acaso no suena como la época en la que vivimos? ¿No nos encontramos en ocasiones rodeados de una ola de agitación, división y contención? (versículos 5–6). Hay momentos en los que demasiadas cosas compiten por nuestra atención, nuestro tiempo e incluso nuestro corazón, que puede ser difícil mantener la vista en el Señor y en Su evangelio.

El joven José a menudo se hacía la pregunta: "¿Qué se puede hacer?" (José Smith—Historia 1:10). Es significativo que él no solo deseaba conocer la verdad, sino que también quería saber qué era lo que tenía que *hacer*. Estaba dispuesto a averiguar cuál era la voluntad de Dios para con él y a actuar de conformidad con ello.

La primera respuesta que recibió le penetró el corazón "con inmenso poder", mientras leía Santiago 1:5: "Y si alguno de ustedes tiene falta de sabiduría, pídala a Dios, quien da a todos abundantemente y sin reproche, y le será dada".

José tomó la determinación de actuar conforme a los sentimientos que tuvo. Escogió una hora y un lugar donde pudiera ejercer la fe y tener una conversación personal con Dios. Después de llegar al lugar escogido, comenzó a derramar su alma al Creador. Entonces, le sobrevino una fuerza asombrosa que se apoderó de él por completo, de manera tal que no podía hablar. Sin embargo, se esforzó *con todo su aliento* para acudir a Dios. Fue entonces que vio una columna de luz "más brillante que el sol", la cual descendió gradualmente hasta descansar sobre él, y tuvo la experiencia gloriosa de ver a "Dios, el Eterno Padre, y [a] su Hijo Jesucristo" (Artículos de Fe 1:1), quienes no solo respondieron su pregunta, sino que también le dieron instrucciones sobre lo que tenía que hacer (véase José Smith—Historia 1:5–20). Nuestra condición de miembros de la Iglesia es uno de los frutos del acto de José de acudir a Dios. Así como sucedió con él, nuestro proceso de acudir a Dios comienza con un deseo, el cual rápidamente se convierte en acción.

En su discurso de la Conferencia General de abril de 2017, el presidente Russell M. Nelson señaló que para "obtener el poder del Salvador en nuestra vida [necesitamos] acudir a Él con fe [y] ese 'acudir' requiere un esfuerzo diligente y enfocado".

Después habló de "la mujer que padeció durante 12 años un problema debilitante [y] expresó gran fe en el Salvador cuando exclamó: 'Si tocare tan solo su manto, quedaré sana' (Marcos 5:28).

"Esta mujer fiel y centrada necesitaba estirar lo más posible la mano para acceder al poder de Él. Su 'estiramiento' físico era un símbolo de su 'estiramiento' espiritual".

El presidente Nelson agregó: "Muchos de nosotros hemos exclamado desde lo más profundo de nuestro corazón una variante de las palabras de esta mujer: 'Si pudiera estirarme espiritualmente lo suficiente como para obtener el poder del Salvador en mi vida, sabría cómo afrontar mi desgarradora situación. Sabría qué hacer y tendría el poder para hacerlo'"[1].

Sean cuales sean nuestras circunstancias, todos necesitamos recibir el poder del Salvador en nuestra vida en todo momento. Todos deberíamos hacer el esfuerzo de tener un claro entendimiento de nuestra naturaleza y nuestro propósito divinos, a fin de que cada decisión que tomemos en la vida pueda ser guiada por nuestro deseo de recibir virtud y sanación del Salvador. Todos podemos esforzarnos con todo nuestro aliento, estirarnos o motivarnos en lo físico y lo espiritual, y acudir al Salvador de forma constante a fin de que nuestras aflicciones sean "consumidas en [Su] gozo" (Alma 31:38). Para ello, podemos comenzar con el deseo de acercarnos a Él, fomentar ese deseo y esforzarnos con todo nuestro aliento, hasta que ese deseo se convierta en fe y en creencia en el poder que Él tiene para ayudarnos y sanarnos.

El esforzarnos con todo nuestro aliento de maneras sencillas podría significar orar constantemente al Padre Celestial, teniendo presente que Él es nuestro Padre, que conoce nuestro corazón, que escucha nuestras oraciones y que realmente desea que seamos felices en esta vida y por la eternidad.

También podría significar concentrar nuestros pensamientos en el Salvador con mayor intención. Tal vez parezca demasiado sencillo, pero testifico que volver la mente y el corazón hacia

Jesucristo durante nuestra rutina diaria es una poderosa manera de acudir a Él y de obtener Su poder.

Otra manera de esforzarnos con todo nuestro aliento podría ser acudir al Padre Celestial mediante el estudio personal y diligente de las Escrituras. A veces, la diferencia entre tocar el icono de la Biblioteca del Evangelio y el de cualquier otra aplicación en nuestro teléfono es cuestión de milímetros. Basta un simple y sencillo movimiento para demostrar nuestro deseo de acudir al Salvador y recibir Su luz y guía.

Ese mismo principio también se aplica al estudio de las palabras de los profetas videntes y reveladores vivientes. De esos líderes que han sido llamados por Dios, recibimos un caudal de consejos inspirados. Tenemos todos esos tesoros de conocimiento y sabiduría literalmente al alcance de la mano.

Una manera importante en la que nos esforzamos con todo nuestro aliento y le demostramos al Salvador que deseábamos recibir virtud de Él, fue cuando entramos en las aguas del bautismo con el fin de hacer un convenio con Dios y le prometimos que obedeceríamos Sus mandamientos. Para realizar ese acto de fe fue necesario un esfuerzo espiritual y físico de nuestra parte, y de las personas que nos apoyaron en nuestra decisión de ser discípulos de Cristo.

Cada domingo, tenemos la oportunidad de extender la mano al tomar la decisión de participar de la Santa Cena, de renovar todos los convenios que hemos hecho con Dios y de hacer un nuevo convenio con Él. Mediante ese sencillo y asiduo acto de tender la mano y acudir al Salvador, reconociendo que necesitamos Su ayuda en todo momento, recibimos la fuerza y la visión que necesitamos durante la semana.

En el mundo de hoy, muchos de nosotros llevamos una vida ajetreada. Estamos anhelosamente consagrados a los estudios, al trabajo, a los llamamientos de la Iglesia, a ayudar a nuestros familiares y amigos, y a llevar una vida social. Eso refleja que tal vez no seamos perezosos en el aspecto físico. No obstante, debemos tener cuidado de no caer en la trampa de la pereza espiritual y debemos seguir haciendo las "cosas pequeñas y sencillas" (Alma 37:6) que nos acercarán más al Salvador a fin de que Él nos bendiga.

El presidente Nelson también aconsejó lo siguiente:

"Cuando procuren el poder del Señor en su vida con la misma intensidad que tiene uno que se está ahogando y lucha por respirar, el poder proveniente de Jesucristo será de ustedes. Cuando el Salvador sepa que ustedes realmente desean acudir a Él —cuando Él pueda sentir que el mayor deseo de su corazón es obtener el poder de Él en sus vidas—, serán guiados por el Espíritu Santo para saber exactamente lo que deben hacer.

"Cuando se esfuercen espiritualmente más allá de lo que jamás lo hayan hecho, entonces Su poder se derramará sobre ustedes"[2].

El Señor nos ha hecho la promesa de que, si acudimos a Él, nos responde, lo cual explica con estas bellas palabras: "Allegaos a mí, y yo me allegaré a vosotros; buscadme diligentemente, y me hallaréis; pedid, y recibiréis; llamad, y se os abrirá" (D. y C. 88:63).

Junto con Alma, hago esta promesa: "Oh hermanos [y hermanas] míos, si fuerais sanados con tan solo mirar para quedar sanos, ¿no miraríais inmediatamente?; o, ¿preferiríais endurecer vuestros corazones en la incredulidad, y ser perezosos y no mirar, para así perecer [...]? Pero si no, mirad y empezad a creer en el Hijo de Dios, que vendrá para redimir a los de su pueblo, y que padecerá y morirá para expiar los pecados de ellos; y que se levantará de entre los muertos, lo cual efectuará la resurrección, a fin de que todos los hombres comparezcan ante él, para ser juzgados en el día postrero, sí, el día del juicio, según sus obras" (Alma 33:21–22).

Sé que tenemos un Padre Celestial que nos ama y nos conoce personalmente. Sé que nuestro Señor Jesucristo es el Hijo de Dios, el Hijo Unigénito, el Príncipe de paz, y que Él tiene el poder y el deseo de sanarnos y de tomarnos en los brazos de Su amor a lo largo de esta vida terrenal. Él nos ama y nos conoce individualmente, Él desea que nos alleguemos a Él, y "desde la perspectiva de Él, nosotros no estamos tan lejos"[3]. Nos ha enviado al Consolador, el Espíritu de verdad, quien nos testifica del poder salvador y habilitador que proviene de Jesucristo, nuestro Salvador y Redentor.

PODEMOS ACUDIR AL SALVADOR AL
ESFORZARNOS CON TODO NUESTRO
ALIENTO Y EXTENDERNOS EN FORMAS
SENCILLAS, PERO SIGNIFICATIVAS, A FIN
DE VOLVERNOS A ÉL CONSTANTEMENTE.

NOTAS

1. Russell M. Nelson, "Cómo obtener el poder de Jesucristo en nuestra vida", *Liahona*, mayo de 2017, págs. 41–42.
2. Véase Russell M. Nelson, "Cómo obtener el poder de Jesucristo en nuestra vida", pág. 42.
3. Véase Henry B. Eyring, "Mi paz os dejo", *Liahona*, mayo de 2017, pág. 18.

SU NACIMIENTO,
NUESTRA VIDA

En diciembre de 1972, yo tenía nueve años y vivía en Managua, Nicaragua, con mis padres, mi hermano de diez años, Noel, (a quien le decíamos Noelito), y mi hermanita de tres meses, Sandra. Una tía y mi primita vivían en la casa de al lado. Éramos católicos por tradición y asistíamos a misa de vez en cuando.

Mi hermano Noelito y yo éramos muy allegados en todos los aspectos. Él siempre estaba junto a mí, me protegía y me tomaba de la mano para cruzar la calle cuando íbamos a la escuela. No recuerdo nunca haber peleado ni competido con él. Era mi hermano y mi amigo.

En el mes de diciembre, se podía sentir la algarabía de las fiestas navideñas por todas partes. Los aparadores de las tiendas nos recordaban que la Navidad ya estaba a la vuelta de la esquina, y las luces de colores daban un toque de magia a las calles y las casas.

Nosotros ya habíamos puesto el árbol de Navidad, con esferas rojas que colgaban de las ramas y luces que lo rodeaban y lo hacían lucir mucho más grande de lo que realmente era. Debajo del árbol teníamos un nacimiento que representaba el motivo por el cual celebrábamos la Navidad. Todas las figuras estaban puestas: José, María, los pastores y los animales. Todas menos una: el Niño Dios.

En Nicaragua, teníamos la tradición de reunirnos con otros parientes en Nochebuena. Compartíamos una deliciosa comida, los adultos tenían una animada conversación y los niños sentíamos esa emoción de saber que, a medianoche cuando naciera el Niño Dios, Él nos traería regalos, los cuales aparecían de forma mágica debajo del árbol de Navidad. En ese momento, los fuegos artificiales iluminaban la ciudad anunciando el nacimiento de nuestro Salvador. Entonces, poníamos al Niño Dios con reverencia en el nacimiento porque finalmente había nacido.

Ese ritual que seguíamos cada año me hacía sentir mucha reverencia y gratitud hacia Él. El Niño Dios era el que me traía todos mis regalos de Navidad y, como aprendería más tarde, Él es la fuente de toda rectitud y el que nos brinda la vida eterna. Él nació para traernos "gran gozo" a todos, para "traer redención al mundo, para salvar al mundo del pecado" (3 Nefi 9:21).

Ese año en particular, yo había estado contando los días para que llegara la Navidad y sentía más ansias que en años anteriores.

Puede que haya sido porque tenía nueve años. Ya era lo suficientemente mayor como para saber lo que sucedería, y lo suficientemente pequeña como para seguir inmersa en la magia de la temporada.

La noche del 22 de diciembre me preparé para ir a dormir, con la emoción de que solo faltaban dos días para la Nochebuena. La cama de Noelito estaba junto a la mía y los dos estábamos a la expectativa de la fecha. Cerré los ojos con una enorme sonrisa, con la certeza de que el tan esperado día cada vez estaba más cerca.

Entonces, en medio de la noche, comencé a tener lo que parecía una pesadilla muy extraña. Había una intensa oscuridad y un olor a tierra suelta. Hice el intento de sentarme, pero tenía las piernas atrapadas y sentía peso sobre ellas. Estiré los brazos y podía tocar algo que había encima de mí. No sabía qué estaba ocurriendo. Traté de escuchar con atención y escuché los gritos de una mujer que pedía ayuda, los cuales se escuchaban lejanos. Así que decidí hacer lo mismo y comencé a gritar rogando que alguien me ayudara.

El suelo se estremecía de vez en cuando, y cuando eso sucedía, me quedaba quieta, tratando de escuchar lo que pasaba a mi alrededor. Después de un rato, mis gritos fueron escuchados. Sentí que había peso sobre mí y escuché voces cada vez más cerca. Me preguntaron: ¿"Estás ahí?". Respondí: "Sí, aquí estoy". Después de varios minutos, vi algunos rostros. Mis vecinos me estaban rescatando. Me levantaron y me cargaron. Mi mamá estaba con ellos, y entonces me di cuenta de que ella era la que había estado gritando todo ese rato.

Me llevaron a la calle y me senté ahí en medio de una total oscuridad. Todo se miraba diferente. Mi papá estaba acostado junto a mí. Estaba lastimado y no podía ayudar a mi mamá, quien después de asegurarse de que yo me encontraba bien, regresó a los escombros para seguir buscando al resto de la familia. Nuestra vecina de la casa de enfrente sostenía a mi hermanita.

Después de un rato, un vecino llevó a Noelito a la calle. Lo colocó junto a mí y dijo: "Está muerto". Mi papá comenzó a llorar, mi mamá se quedó sin habla y en ese momento sentí el deseo de despertar de ese mal sueño. A mi tierna mente le era difícil comprender la realidad de lo que estaba sucediendo.

Entonces me di cuenta de que nuestra casa se había derrumbado, habíamos perdido nuestro hogar y nuestras pertenencias. Lo habíamos perdido todo: los muebles, la ropa y todo lo que poseíamos. Solamente me quedaba lo que llevaba puesto: una camiseta y unos pantalones cortos. En la mente, me imaginé junto con mi familia siendo mendigos en la calle, pidiendo dinero a fin de comprar algo para comer. Un terremoto de una magnitud de 6,3 grados había azotado el país, cobrando la vida de cerca de diez mil personas, dejando cerca de veinte mil lesionadas y a unas trescientas mil sin hogar.

Más tarde, esa misma noche, mis primos, que vivían a unas cuadras de distancia, fueron a ver cómo estábamos. Ellos eran adolescentes y yo siempre los había admirado y respetado, así que el verlos me hizo sentir consuelo. Mi mamá les pidió que me llevaran a la casa de ellos. Me sentí bien al ver a mi tía, mi tío, mi abuela y el resto de mis primos. Su casa aún estaba en pie, aunque había sufrido daños de seriedad y no podíamos entrar en ella. Me quedé dormida en la acera frente a la casa.

Cuando abrí los ojos, ya había salido el sol. Mi prima, quien también tenía un bebé, sostenía en sus brazos a mi hermanita. Mis primos me explicaron que mis padres habían ido al cementerio a enterrar a mi hermano y a mi prima Elena, quien era una bebé y también había muerto.

Los vecinos de mi tía tenían un patio enorme y nos permitieron quedarnos ahí. Aquello parecía un campamento con camas por todas partes. Comenzaron a circular camiones que repartían agua y bolsas de alimentos por la ciudad, los cuales compartíamos entre todos.

Esa noche, me acosté en una cama improvisada y vi hacia arriba. El cielo estaba totalmente lleno de estrellas y no fue fácil quedarme dormida, aunque finalmente pude hacerlo. Al día siguiente, mi tía se me acercó muy temprano y me dio un regalo. Eso me confundió, ya que no sabía por qué me estaba dando un obsequio. Así que le pregunté: "¿Por qué me estás dando este regalo, es mi cumpleaños?".

Ella respondió: "No, hoy es Nochebuena".

Lo había olvidado por completo. ¿Cómo era posible que

olvidara la Navidad si la había estado esperando con tantas ansias? En ese momento, caí en la cuenta de la realidad y me inundó un sentimiento de tristeza. ¿Era verdad que mi hermano había muerto? ¿Despertaría en algún momento de esa pesadilla? ¿Habría forma de volver a mi vida normal y olvidar todo eso? Eran demasiadas cosas para asimilar, así que rompí en llanto por primera vez desde el terremoto porque me costaba mucho comprender la situación.

En ese entonces, aún no era miembro de La Iglesia de Jesucristo de los Santos de los Últimos Días ni sabía mucho sobre el Plan de Salvación. Lo que sí sabía era que Noelito había muerto y que tal vez estaba en el cielo, aunque no sabía a ciencia cierta qué había sucedido con él. En muchas ocasiones, llegué a preguntarme si volvería a verlo. Recuerdo haberme hecho esa pregunta y sentir un anhelo en el corazón: "¿Qué sucedió con él? ¿Dónde está? ¿A dónde fue? ¿Volveré a verlo?".

Ahora me doy cuenta de que, de niña, tuve el deseo de saber acerca del Plan de Salvación de Dios. Quería saber de dónde venimos, cuál es la finalidad de la vida y qué sucede con nosotros después de que morimos. ¿Acaso no todos sentimos ese anhelo cuando perdemos a un ser querido o al atravesar por dificultades? Todos necesitamos tener la seguridad de que la vida tiene un propósito y de que hay algo por lo cual sentir esperanza. A veces, las realidades de la vida nos hacen detenernos, dejar de concentrarnos en la rutina, elevar la mirada y adquirir una perspectiva más amplia de nuestra existencia. Esos momentos de reflexión nos ayudan a comprender quiénes somos en realidad como hijos de Dios, cuánto dependemos de Él y lo mucho que nos necesitamos el uno al otro.

Más adelante, cuando yo tenía once años, mi mamá tuvo otro hijo varón, quien recibió el nombre de Henry. Ese nuevo bebé fue motivo de alegría, aunque la vida todavía era difícil. En ocasiones, mientras estábamos sentados en la sala de estar, mi mamá de repente se echaba a llorar. Yo percibía que ella aún sentía dolor debido a que no sabía qué había sucedido exactamente con mi hermano Noelito.

Fue alrededor de esa época que comencé a tener una fantasía en la que imaginaba que él llegaba y tocaba la puerta de nuestra casa. Entonces, yo abría y él estaba de pie ahí, y me decía: "¿Sabes qué? No estoy muerto, estoy vivo. Estaba en otra parte, pero no podía venir. Ahora puedo venir a verte, puedo estar contigo y nunca más te volveré a dejar". Esa fantasía me ayudó a sobrellevar el dolor y la pena que sentía por haberlo perdido.

Era una impresión que me sobrevenía una y otra vez. Deseaba con toda el alma que fuese verdad. Aún me costaba mucho aceptar que Noelito se había ido. Era tanto mi deseo de que esa fantasía se hiciera realidad, que a veces me sentaba en la sala mirando hacia la puerta, con la esperanza de que él llegara y lo volviera a ver.

Cuando tenía 21 años, me fui a vivir a San Francisco, California, tras sentir el impulso de salir de mi país debido al descontento social que imperaba en aquel entonces. Cinco años más tarde, cuando tenía 26 años, conocí La Iglesia de Jesucristo de los

Santos de los Últimos Días, donde me encantó el sentimiento de paz que ahí se respiraba. Fui bautizada en la Iglesia en el mes de noviembre de 1989.

Al poco tiempo, conforme se acercaba el fin de año, comenzamos a cantar himnos de Navidad en la Iglesia. Al cantarlos, me invadía un sentimiento maravilloso. Por primera vez en mi vida supe lo que era el verdadero espíritu navideño. Sentí una inmensa reverencia hacia el nacimiento de nuestro Salvador. Me recordó aquella reverencia que sentía de niña cuando ponía cuidadosamente al Niño Dios en el nacimiento durante la Nochebuena. Jesucristo nació en un lugar humilde para llevar a cabo Su misión divina, obedecer la voluntad de Su Padre y mostrarnos el camino que nos lleva de regreso a Él. Su nacimiento marcó el inicio de una nueva era de la humanidad. Él vino a salvarnos, a enseñarnos, a inspirarnos, a amarnos y a facultarnos para que podamos romper las ligaduras del pecado y de la muerte, y ser santificados y purificados mediante Su expiación y nuestra obediencia a Su evangelio. Él dijo: "Yo soy el camino, y la verdad y la vida; nadie viene al Padre sino por mí" (Juan 14:6).

Transcurrieron más de 40 años desde aquel terremoto que azotó Managua hasta que un día recibí una revelación mientras lavaba los platos en la cocina de mi casa en Orem, Utah. Fue alrededor de la Pascua de Resurrección, una época en la que reflexionamos sobre la resurrección del Señor, cuando justo estaba meditando sobre lo que esa espléndida dádiva significa para nosotros.

De repente, comencé a pensar en mi hermano Noelito. En ese momento, finalmente comprendí. Recordé aquella fantasía en la que me lo imaginaba que venía a verme después de que había muerto. Durante todos esos años nunca le dije a nadie de mi fantasía porque siempre había pensado que era una tontería, que eran imaginaciones mías. Sin embargo, ese día en la cocina, me di cuenta de que en realidad había recibido la luz de Cristo siendo una niña que necesitaba consuelo en aquel momento de mi vida.

Por medio del inmenso poder y amor que el Señor posee, había recibido un testimonio de que el espíritu de mi hermano no está muerto, sino que vive. Noelito simplemente se encuentra en otro lugar y en otro estado, y sigue progresando en su existencia eterna. Él ha "partido de la vida terrenal, firm[e] en la esperanza de una gloriosa resurrección" (D. y C. 138:14). Se encuentra a la espera de ese maravilloso momento en el que todos seremos resucitados, a fin de ser reunidos con nuestra familia, de sentir gozo en maneras que ni siquiera podemos imaginar y de tener la oportunidad de progresar y aprender aún más, en la presencia de nuestros padres celestiales y nuestro Señor Jesucristo.

Para mí, esa revelación fue un momento de gloria, alegría y gratitud. Cuán misericordioso fue el Señor conmigo, que me permitió comprender la realidad de la resurrección en un momento en que lo necesitaba. Gracias a Él y al hecho de que resucitó, todos resucitaremos después de morir. Cuando eso suceda, "el alma será restaurada al cuerpo, y [...] todo será restablecido a su propia y perfecta forma" (Alma 40:23). Nos encontraremos en un estado distinto en la senda de nuestra existencia eterna.

El nacimiento de Cristo, nuestro Salvador, trajo Su luz al mundo, una luz que ofrece conocimiento, consuelo, sanación, paz, poder y revelación a todos los que acuden a Él. Gracias a Su resurrección, "no hay victoria para el sepulcro, y el aguijón de la muerte es consumido en Cristo. Él es la luz y la vida del mundo; sí, una luz que es infinita, que nunca se puede extinguir; sí, y también una vida que es infinita, para que no haya más muerte" (Mosíah 16:8–9). Si acudimos al Salvador, lo recordamos en todos nuestros pensamientos y acciones, y nos esforzamos por seguir Sus mandamientos, Su luz nos puede guiar, Su amor nos puede consolar y Su poder nos puede facultar para que hagamos lo que no podemos hacer por nuestra cuenta.

PODEMOS ACUDIR AL SALVADOR SI
CONFIAMOS EN QUE SU NACIMIENTO, SU
VIDA Y SU RESURRECCIÓN NOS OFRECEN
A TODOS EL DON DE LA VIDA ETERNA.

EL CUERPO
DE CRISTO

En 1989, me separé de mi primer esposo a causa de su adicción al alcohol y a las drogas. Para mí fue difícil tomar esa decisión, ya que teníamos un niño de tres años, pero sabía que era lo que tenía que hacer. No obstante, sentía desesperación, temor e incertidumbre en cuanto al futuro.

Unas tres semanas después de esa separación final, mi mamá fue a visitar a su hermana que vivía a solo unas cuadras de distancia de nosotros en San Francisco. Mi tía, su esposo y algunos de sus hijos pertenecían a La Iglesia de Jesucristo de los Santos de los Últimos Días. Habían sido miembros durante algunos años y en varias ocasiones nos habían invitado a asistir con ellos. En ese momento de mi vida, yo creía en Dios, mas no sabía cuánto necesitaba acercarme a Él, así que no había aceptado esas invitaciones de ellos.

Mientras mi mamá visitaba a mi tía ese día, un matrimonio misionero, el élder Leland Bangerter y la hermana Valois Bangerter, pasaron a visitar y conversaron con mi mamá. Le mostraron un video y la invitaron a asistir a la Iglesia al día siguiente. Esa tarde, cuando volví a casa del trabajo, mi mamá me contó de la conversación que había tenido con los misioneros y de la invitación que le habían hecho de que asistiera a la Iglesia. Esa vez, debido a todas las dificultades por la que acababa de pasar, estaba lista para aceptar la invitación.

El día siguiente, el domingo 15 de octubre de 1989, fuimos al apartamento de mi tía para irnos juntos a la Iglesia. Los misioneros ya estaban ahí y se alegraron de vernos. Los seguimos al centro de reuniones de San Bruno, ubicado al sur de San Francisco.

Ese fue el día en que mi vida cambió para siempre. Yo no tenía idea de cómo sería la Iglesia, pero en el instante en que puse un pie en aquel edificio, me sobrevino una maravillosa sensación de que estaba en un lugar sagrado. Había mucha gente y todo mundo parecía feliz.

Era una conferencia de estaca, donde se juntan varias congregaciones y algunas personas ofrecen mensajes espirituales. Todos los discursos se dieron en inglés y como yo no estaba familiarizada con algunos de los términos, no pude entender todo lo que se dijo. Por ejemplo, la palabra "gospel" [Evangelio] se mencionó varias veces. No sabía bien su significado, pero me imaginé que se trataba de algo bueno. La luz de Cristo se comunicó con mi alma de manera tal que trascendió el idioma, el tiempo y el espacio. El sentimiento que tuve era distinto a todo lo que había sentido antes.

Cada uno de los mensajes parecía estar dirigido a mí. Uno de los discursantes habló sobre el huracán Hugo. Contó el relato de una familia que vivía en una isla del Caribe, cuya casa se comenzó a inundar. Los integrantes de la familia se fueron desplazando a niveles más altos de la vivienda hasta que terminaron en el techo, de donde fueron rescatados. Dijo que esa familia buscaba un lugar más seguro para mantenerse protegida y que era algo similar al Evangelio, ya que nos ayuda a acercarnos al Padre Celestial y al Salvador Jesucristo. Nos proporciona un lugar seguro en el que estamos protegidos. Al escuchar eso, sentí el deseo de saber más acerca de eso a lo que llamaban "gospel".

Me encontraba en un momento de mi vida en el que necesitaba hallar paz y solaz para mi alma. Necesitaba encontrar un lugar en el que pudiera ayudar a mi hijo para que llegara a ser un buen hombre. En esa reunión, supe que había encontrado un refugio para mí y para él. Al escuchar a los discursantes, me llené de esperanza.

Tiempo después, me enteré de que el élder Quentin L. Cook era el presidente de estaca en aquella conferencia de estaca. Años más tarde, él llegó a ser un Apóstol del Señor y nuestros caminos en el servicio a Dios se han vuelto a cruzar. Es maravilloso pensar en la influencia que nuestros esfuerzos sinceros por servir al Señor pueden tener en los demás. Cada persona que participó en esa conferencia de estaca contribuyó a invitar al Espíritu, lo cual me ayudó a recurrir al Padre Celestial y al Salvador para que Ellos pudieran extenderme Su misericordia.

Después de que terminó la reunión, observé que había mucha algarabía a mi alrededor. Todos sonreían y estaban de buen ánimo. Mientras salíamos del edificio, me acerqué a los misioneros y les dije: "¿Podrían ir a nuestra casa por favor? ¿Podrían hablarnos más de la Iglesia?".

Ellos respondieron alegremente: "¡Por supuesto! ¡Nos encantaría!".

Nos pusimos de acuerdo para que nos visitaran el martes siguiente a las ocho de la noche, y yo esperaba con ansias que se llegara el día y la hora. Tenía la corazonada de que mi vida estaba a punto de dar un importante giro.

Entonces, llegó el día. Alrededor de las cinco de la tarde, yo estaba en el trabajo con mi hijo Xavier y Annie, la niña que cuidaba. Estábamos en la casa de ella y los niños jugaban en la habitación de Annie. Yo estaba sentada en el piso viéndolos jugar. De repente, el suelo comenzó a estremecerse. Fue el terremoto de Loma Prieta de 6,9 grados que sacudió el área de la bahía de San Francisco. Abracé a los niños y todo lo que hicimos fue esperar. El temblor duró lo que pareció una eternidad.

En cuanto los padres de Annie llegaron, Xavier y yo nos fuimos a casa. Iba preparada para conducir en medio de un tráfico caótico. Muchos semáforos no funcionaban. Sin embargo, el tráfico fluía de manera ordenada. En algunas esquinas muy transitadas, había civiles que ayudaban a dirigir el tráfico. Si no había nadie en las esquinas, los automovilistas se detenían y seguían la regla de los cuatro altos. Me impresionó ver cómo la bondad de la gente aflora cuando la tragedia azota.

Me tomó mucho más tiempo que de costumbre llegar a casa. En algunas calles había escombros y las paredes de algunos edificios estaba dañadas. En cuanto llegué a casa, llamé a los misioneros para decirles que quizás debíamos reunirnos otro día. Ellos estuvieron de acuerdo, ya que en algunos vecindarios no había luz y la ciudad lucía más oscura de lo habitual.

Unos días después del terremoto, mi mamá, mi hermana Sandra, mi hermano Henry, mi hijo Xavier y yo finalmente nos pudimos reunir con los misioneros. Los mensajes que nos dieron eran muy sencillos y, a la vez, sumamente profundos. Nos enseñaron que Dios está cerca de nosotros; que podemos hablarle y que Él nos escucha; que tenemos un Salvador y Redentor, y que gracias a Él podemos vencer las dificultades de la vida terrenal y tener la esperanza de la vida eterna. Nos dijeron que podemos vivir con nuestra familia para siempre. Cada vez que los misioneros nos enseñaban, sentíamos algo distinto en nuestro hogar. Ellos eran muy alegres y el amor que sentían el uno por el otro era evidente. Su alegría era contagiosa y yo tenía un fuerte deseo de sentirme de la manera en que ellos se sentían.

En el transcurso de las tres semanas siguientes, nos visitaron en nuestro hogar varias veces. En una de esas visitas, nos preguntaron a cada uno de nosotros si deseábamos bautizarnos. Yo lo pensé durante unos segundos y respondí "¡Sí!". Mi mamá y mi hermano también aceptaron. Los misioneros se alegraron y fijamos una fecha para el bautismo. Elegimos el domingo 5 de noviembre como la fecha en que entraríamos en las aguas bautismales.

Finalmente, el día llegó. La reunión sacramental fue distinta ese día. Los miembros de la congregación pasaban al frente para expresar sus sentimientos y testificar del evangelio de Jesucristo y de la Iglesia, lo cual después supe que se llamaba reunión de ayuno y testimonio. Mi mamá también pasó al frente y les dijo a todos cómo se sentía en ese momento. Dijo que mientras estaba sentada escuchando a los demás, preguntó en su corazón: "¿Dios, en verdad es verdadera esta iglesia?". Enseguida, tuvo un sentimiento cálido en su interior y supo con certeza de su veracidad.

Esa tarde, fuimos de nuevo al centro de reuniones de San Bruno para ser bautizados. Muchos de los miembros de nuestra rama asistieron. El élder Bangerter nos bautizó a los tres y luego nos confirió el don del Espíritu Santo. El hecho de recibir ese don y de saber que lo podía tener conmigo si era fiel, me hizo sentir realizada y sanada, y finalmente tuve una sensación de pertenencia. Me encantaba el sentimiento que tenía. ¡Me sentía limpia! En verdad creía que, si tenía el deseo sincero de mostrar fe y efectuar cambios en mi vida, el sacrificio que Jesucristo hizo por todos nosotros podía ayudarme a "[ser purificada] así como él es puro" (Moroni

7:48) y a enfrentar la vida de una mejor manera, teniendo "por armas [la] rectitud y el poder de Dios en gran gloria" (1 Nefi 14:14).

Todos los miembros de la rama parecían estar felices por nuestra decisión de bautizarnos. Nos hicieron sentir bienvenidos, nos hicieron sentir como en casa y habíamos encontrado a una nueva familia entre ellos.

A partir de entonces, la vida continuó, aunque no era igual. Me sentía como que era otra persona y podía ver que en mi interior estaba sucediendo algo. Gracias al convenio bautismal que había hecho y que guardaba con mi Salvador, comencé a sentir paz y esperanza en el futuro. Mi corazón había "cambiado por medio de la fe en su nombre" (Mosíah 5:7).

Unos días después de nuestro bautismo, sucedió algo magnífico. El muro de Berlín se vino abajo. Los alemanes se podían reunir con familiares que no habían visto en mucho tiempo. El mundo entero miraba con asombro el colapso de ese símbolo de cautiverio, injusticia y pesar. Para mí, fue un suceso particularmente significativo, ya que sucedió justo en un momento en el que en mi vida ocurrían acontecimientos cruciales. Consideré la caída del muro como una señal de cambio y de un mejor futuro para mí y para mi hijo.

Ser miembro de La Iglesia de Jesucristo de los Santos de los Últimos Días era una enorme bendición en el día a día y el domingo era el punto culminante de la semana. Cada mensaje que escuchaba en la reunión sacramental, cada clase a la que asistía y cada conversación que tenía con los miembros de la Iglesia parecían ser un torrente sin fin de conocimiento, fe y fortaleza dirigido hacia mí. Cada concepto se explicaba de manera tal que me ayudaba a ver con otros ojos a Dios, al mundo e incluso a mí misma.

El hecho de tener la oportunidad de tomar la Santa Cena cada semana era una enorme bendición. Me encantaba el sentimiento de reverencia que tenía en el momento en que se repartía. Las palabras de las oraciones de la Santa Cena son sumamente hermosas. En ellas prometemos al Padre Celestial que estamos dispuestos a tomar sobre nosotros el nombre de Su Hijo, a recordarle siempre y a guardar Sus mandamientos. A cambio, recibimos la promesa de que siempre podremos tener Su Espíritu con nosotros (véase Doctrina y Convenios 20:77–79). Siento certeza en las palabras que pronunció el rey Benjamín sobre "… el bendito y feliz estado de aquellos que guardan los mandamientos de Dios. Porque he aquí, ellos son bendecidos en todas las cosas, tanto temporales como espirituales; y si continúan fieles hasta el fin, son recibidos en el cielo, para que así moren con Dios en un estado de interminable felicidad" (Mosíah 2:41). Agradezco tanto a mi Padre Celestial y a mi Señor Jesucristo el haberme permitido recibir todas esas bendiciones en esa época de mi vida, ya que encontré algo que no sabía que me hacía falta. Espero y ruego que nunca pierda ese sentimiento de asombro.

Las personas llegan a la Iglesia bajo distintas circunstancias: en el caso de algunas, los misioneros llamaron a su puerta; otras nacen en familias que ya son miembros y hay quienes le preguntaron a un amigo o vecino qué era aquello que los hacía lucir diferentes y felices. No obstante, al unirnos a la Iglesia, cada uno de nosotros debe decidir si tomará sobre sí el nombre de Cristo y vivirá de conformidad con el convenio bautismal que ha hecho.

Cada uno puede ser el medio por el cual otras personas sientan el amor de Dios en su vida. Mediante nuestra rectitud, nuestro deseo sincero de seguir los mandamientos y nuestro constante empeño por ministrar a los demás de maneras sencillas, las personas pueden percibir la imagen de Dios en nuestro semblante y llegar a tener el deseo de seguirlo. "Y el Señor Dios se vale de medios para realizar sus grandes y eternos designios" (Alma 37:7).

PODEMOS ACUDIR AL SALVADOR AL
TOMAR SU NOMBRE SOBRE NOSOTROS
MEDIANTE LOS CONVENIOS QUE
HACEMOS AL BAUTIZARNOS Y AL
FORMAR PARTE DE SU IGLESIA.

EL PRESTAR SERVICIO
EN LA IGLESIA Y EN LA
SOCIEDAD DE SOCORRO

En cuanto fui llamada como Segunda Consejera de la Presidencia General de la Sociedad de Socorro en abril de 2017, me comenzó a retumbar en la mente una pregunta: "¿Qué es la Sociedad de Socorro?".

Lo que he leído sobre la historia de la Sociedad de Socorro me ha dado una mejor perspectiva de la finalidad de esa organización divina. Me ha maravillado saber que la Sociedad de Socorro es "una restauración de un modelo antiguo"[1] y que "antiguamente existía la misma organización en la Iglesia"[2]. Al estudiar el Nuevo Testamento, he visto muchos ejemplos de "discípulas" que "viajaban con Jesús y Sus Doce Apóstoles y daban de sus bienes para contribuir con Su ministerio". Además, "después de Su muerte y resurrección, [ellas] continuaron siendo discípulas fieles; se reunían y oraban junto con los Apóstoles; ofrecían sus hogares como lugares de reunión para los miembros de la Iglesia; y participaban valientemente en la obra de salvación de las almas, en lo temporal y en lo espiritual"[3]. He leído en cuanto a Marta y su hermana María, Magdalena, Juana, Susana, Tabita, Priscila y muchas otras mujeres que "se convirtieron al Señor" (3 Nefi 28:23) y llevaron incansablemente Su Evangelio a los demás.

Me he regocijado al ver que, como parte de la Restauración en esta "dispensación del cumplimiento de los tiempos" (D. y C. 128:18), la Sociedad de Socorro fue organizada por el profeta José Smith por medio de las llaves del sacerdocio y "de acuerdo con el modelo de este"[4] a fin de que las mujeres pudieran hacer "algo extraordinario"[5].

El presidente Joseph F. Smith dijo lo siguiente respecto a la Sociedad de Socorro: "Esta organización es divinamente hecha, divinamente autorizada, divinamente instituida, divinamente ordenada por Dios a fin de ministrar para la salvación de las almas de mujeres y hombres"[6].

Al seguir leyendo y aprendiendo, acudió a mi mente otra pregunta: "¿Qué ha sido para mí la Sociedad de Socorro?".

Me remonté a la época en la que vivía en San Francisco, California, cuando recibía instrucción de los misioneros: el élder y la hermana Bangerter. Recuerdo que de inmediato sentí una conexión con esa dulce, entusiasta y fiel hermana, quien, junto con su esposo, predicaba el Evangelio en ese rincón del mundo que era nuestro hogar. De ellos aprendí sobre mi Padre Celestial y Su "gran plan de salvación" (Alma 42:5), y sobre la expiación redentora de Jesucristo. Aprendí del arrepentimiento, del convenio del bautismo y de la promesa del perdón y la vida eterna. Aprendí del profeta José Smith y de su función en la Restauración, y de los mandamientos y las bendiciones que se nos prometen si nos esforzamos sinceramente por obedecerlos, entre otros conceptos profundos y a la vez sencillos.

La reconfortante relación que he tenido con esa devota misionera fue la primera de innumerables relaciones significativas y lazos eternos que he establecido a lo largo de los años con muchas fieles hijas de nuestra gloriosa madre Eva (véase D. y C. 138:39).

Después de que me uní a La Iglesia de Jesucristo de los Santos de los Últimos Días, los miembros de una pequeña rama de habla hispana de San Francisco me recibieron con amor. De repente, me vi rodeada de amigos, maestros, líderes, consejeros y ejemplos a seguir de todas las edades, tanto hombres como mujeres, y por medio de sus palabras y acciones, el Espíritu Santo me testificó en el corazón de la veracidad del evangelio restaurado de Jesucristo.

Al escucharlos y observarlos, una nueva esfera de conocimiento, fe, testimonio y amor vino a mi vida. Aún recuerdo vívidamente el asombro que sentía en cada reunión sacramental, cada clase de Escuela Dominical y cada reunión de la Sociedad de Socorro. Era un interminable flujo de tiernas misericordias del Señor que recibía por medio de los fieles miembros de esa rama que me enseñaron mucho con su ejemplo y el gozo con el que vivían el Evangelio.

Semanas después, mis maestras visitantes vinieron a casa y trajeron a mi corazón una cálida sensación de pertenencia y amor. Después, me enteré de que yo también podía hacer lo mismo que ellas hacían y llevar esa misma sensación a otras hermanas.

Pronto aprendí que, como mujer adulta miembro de la Iglesia, pertenecía a la Sociedad de Socorro. También supe que en nuestra Iglesia no somos solo observadores pasivos y receptores de información y consejo, sino que podemos ser participantes activos. Descubrí que los miembros de nuestra Iglesia son bendecidos con la oportunidad de tener llamamientos. En efecto, los miembros de la presidencia de la rama me extendieron una oportunidad de servir, y después otra, y otra.

Cuando el presidente de la rama me pidió por primera vez que diera un discurso en la reunión sacramental, una dulce y sabia hermana me guio pacientemente mientras me ayudaba a prepararlo. Me enseñó cómo encontrar pasajes de las Escrituras que tenían que ver con el tema y me ayudó para que pudiera recibir mi propia revelación mediante las impresiones del Espíritu Santo.

Al servir en esos primeros llamamientos y asignaciones, y los que vinieron después, siempre he estado rodeada de hermanas amorosas que me han enseñado con su ejemplo la forma en que las discípulas del Señor Jesucristo brindan servicio y amor. Al mirar atrás, veo que cada una de ellas ha dejado una huella perdurable en mi vida. Ellas me enseñaron a hacer la transición de ser una conversa reciente a llegar a "converti[rme] al Señor" (4 Nefi 1:2). Literalmente me tomaron de la mano y me mostraron la senda.

A Sus siervos, el Señor ha prometido: "… iré delante de vuestra faz. Estaré a vuestra diestra y a vuestra siniestra, y mi Espíritu estará en vuestro corazón, y mis ángeles alrededor de vosotros, para sosteneros" (D. y C. 84:88). A lo largo de mi vida, antes y después de unirme a la Iglesia, he sentido a esos ángeles a mi alrededor, tanto del otro lado del velo como de este lado.

Muchos de ellos han venido con camisa blanca y corbata, para ministrarme en mis necesidades espirituales y emplear las llaves del sacerdocio a fin de traer luz y guía a mi vida; y también con ropa de trabajo y herramienta en mano para brindarme consuelo y ayuda cuando los he necesitado. Muchos otros ángeles han venido con falda, para tomarme de la mano y mostrarme cómo ser discípula de Jesucristo; y también con ropa del diario para brindarme apoyo y permitirme que llore en su hombro cuando lo he necesitado.

Así que, ¿qué ha significado para mí la Sociedad de Socorro? Ha sido un caudal interminable de ayuda del cielo y de la tierra que me ha ayudado a prepararme para las bendiciones de la vida eterna.

Para mí, la Sociedad de Socorro ha sido las relaciones que he cultivado con mujeres fieles, el amor que he sentido y recibido de otras hermanas al trabajar juntas en "la tarea sagrada"[7], y las verdades que he aprendido al intentar "cumplir mi meta divina con fe y afán"[8] como mujer de Sion.

Esas mujeres y el fruto de su trabajo han sido una fuente de guía que me ha ayudado a comprender mi función como hija de Dios, esposa y madre. Ellas me han inspirado cuando me he visto en apuros al tratar de mantener un equilibrio entre mis responsabilidades con Dios, conmigo misma, con mi familia, con mis llamamientos y con mi trabajo. Me han enseñado a establecer prioridades a fin de dedicar tiempo a los sagrados hábitos diarios que me brindan la fortaleza espiritual que necesito cuando se me dificulta dar un paso más.

Al enfrentar el mundo en estos últimos días y esforzarnos por guardar los convenios que hemos hecho con Dios para "cumplir la medida de [nuestra] creación" (D. y C. 88:19), la Sociedad de Socorro puede ser un refugio para las mujeres. Como ha prometido el presidente Boyd K. Packer: "Este gran círculo de hermanas será una protección para cada una de ustedes y sus familias. La Sociedad de Socorro se puede comparar con un refugio, el lugar de seguridad y protección, el santuario de tiempos antiguos. Allí estarán seguras. [Ese círculo] rodea a cada hermana como si fuera un muro protector"[9].

El presidente Thomas S. Monson dijo: "Ustedes, mis amadas hermanas, saben quiénes son y lo que Dios espera que lleguen a ser. Su desafío es llevar al conocimiento de esa verdad a todas las personas de las que son responsables. La Sociedad de Socorro de esta, la Iglesia del Señor, puede ser el medio para alcanzar esa meta"[10].

Jean B. Bingham, Presidenta General de la Sociedad de

Socorro, enseñó: "Si bien cada mujer es única, todas tenemos en común sentimientos, experiencias y dones divinos que nos unen. Somos hijas de padres celestiales que nos aman y desean que lleguemos a ser como Ellos. Somos compañeras plenas del sacerdocio en la obra de salvación —de salvar las almas de los hombres y mujeres—, que es el propósito de todos nuestros empeños. Como hermanas y hermanos, se nos dieron y aceptamos responsabilidades en la vida preterrenal a fin de edificar el reino de Dios sobre la tierra [...]. Tal vez no nos hayamos dado cuenta, pero la Sociedad de Socorro nos puede ayudar a lograr cosas extraordinarias"[11].

Me ha sucedido que algunas hermanas se me han acercado tímidamente para disculparse conmigo. Ellas piensan que no participan de lleno en la Sociedad de Socorro debido a que brindan servicio en la Primaria o las Mujeres Jóvenes. Siempre les doy un abrazo y les digo que ellas se encuentran entre las hermanas más activas de la Sociedad de Socorro, porque están cumpliendo con su llamamiento y ayudando a nuestros niños y a nuestras jóvenes a aumentar su fe en el Padre Celestial y el Salvador Jesucristo. En mi propia experiencia, algunas de las lecciones espirituales más grandes que he recibido como hermana de la Sociedad de Socorro han sucedido al trabajar con los jóvenes.

Por ejemplo, hace años, cuando era líder de las Mujeres Jóvenes, mis responsabilidades incluían estar a cargo del campamento de las jóvenes. Las primeras dos veces en las que fui líder de campamento terminé totalmente exhausta. En ambas ocasiones, al final del primer día estaba tan estresada que se me dificultaba conciliar el sueño por la noche. Esa fatiga hacía que el segundo día fuera aún más difícil que el primero. Al terminar el campamento, se me había agotado la energía y había perdido oportunidades de sentir gozo verdadero durante la semana.

Antes de volver a ir al campamento una tercera vez, me preocupaba que otra vez me sintiera tan físicamente agobiada que no pudiera aportar a una atmósfera que permitiera que las jovencitas y nosotras sus líderes tuviéramos una experiencia espiritual en el campamento.

Así que antes de la semana de campamento, le expresé mi preocupación a mi esposo y le pedí que me diera una bendición del sacerdocio para recibir guía e inspiración divinas. Él me bendijo, entre otras cosas, con la capacidad para discernir qué era lo más importante durante el campamento, me enfocara en eso y dejara ir las cosas secundarias. También me dijo: "Deja que el Espíritu Santo te guíe". Esas palabras me penetraron el corazón y me brindaron la dirección que tan desesperadamente necesitaba.

Me fui al campamento y al pasar los días, me esforzaba por recordar que debía concentrarme en lo que era más importante conforme dejaba que el Espíritu me guiara, hora tras hora, día tras día.

Sucedió que el último día del campamento, a medida que caminaba cuesta arriba llevando una bolsa relativamente pesada en el hombro, me di cuenta de que no estaba cansada. Pensé en mi interior: *Hoy es el último día del campamento y no estoy exhausta. ¿Qué pasó?* Entonces me di cuenta de que a pesar de que había tenido una semana ajetreada y exigente, mi perspectiva de los detalles cotidianos había sido totalmente distinta a la de los años anteriores y eso había marcado una gran diferencia.

En ese momento, recordé la invitación y promesa del Señor: "Venid a mí todos los que estáis trabajados y cargados, y yo os haré descansar. Llevad mi yugo sobre vosotros y aprended de mí, que soy manso y humilde de corazón, y hallaréis descanso para vuestras almas. Porque mi yugo es fácil y ligera mi carga" (Mateo 11:28–30).

Al mirar atrás, recordé las cosas pequeñas que había hecho de manera diferente esa semana. Primero, no sentí que toda la vivencia del campamento dependía de mí. Aunque había tomado la responsabilidad de lo que yo tenía que hacer, había permitido que otras personas tomaran sus propias decisiones e hicieran su parte. Finalmente dejé que las mujeres jóvenes fueran las líderes, como se supone que debe ser. Segundo, me había asegurado de comer bien y de beber suficiente agua. Había hecho pequeños ajustes en mi rutina a fin de dormir bien y eso me ayudó mucho. Lo más importante es que permití que el Señor me guiara por medio del Espíritu Santo, de manera que pude discernir en qué debía invertir mi energía y mi esfuerzo, así como las cosas que alguien más podía hacer, que se podían hacer en otro momento o simplemente no hacerse en lo absoluto.

De esa experiencia aprendí que mi servicio como líder —en

la Primaria, en las Mujeres Jóvenes, en la Sociedad de Socorro, en mi hogar o en cualquier otro lugar— no debe girar alrededor de mi persona, sino que debe centrarse en el Señor y en las personas a quienes presto servicio. Aprendí que lo que más importa es lo que estoy llegando a ser conforme permito que el Señor me refine. Aprendí que, aunque tengo que hacer mi mejor esfuerzo, no puedo hacerlo todo y debo depender de la gracia divina de Jesucristo. Aprendí que debo tener sabiduría al administrar mi energía, mi cordura y mi espiritualidad, a fin de que pueda dar mi mejor ofrenda al Señor para ayudar a que Él lleve a cabo Su obra. Él con certeza lo hizo. Él me cambió, me orientó, me guio y me permitió sentir gozo en ese entorno exigente como no lo había sentido antes. Aprendí que "[todo] lo puedo en Cristo que me fortalece" (Filipenses 4:13). Me he esforzado por llevar esas lecciones conmigo y me he dado cuenta de que pueden fortalecer mis esfuerzos sin importar en dónde se me pida servir.

La Sociedad de Socorro no es un aula del centro de reuniones, no es una reunión de una hora que se tiene el domingo, ni tampoco es una actividad determinada para las mujeres de la Iglesia. La Sociedad de Socorro está compuesta por las mujeres de la Iglesia, está formada por nosotras, todas y cada una. Es la organización de mujeres más grandiosa que hay en el mundo, no solo debido a los millones de mujeres que pertenecen a ella, sino principalmente por su propósito, el cual es que las mujeres del convenio lleven a cabo la obra de salvación y exaltación de manera organizada.

Sharon Eubank, Primera Consejera de la Presidencia General de la Sociedad de Socorro, enseñó: "La Sociedad de Socorro […] se ha organizado bajo las llaves del sacerdocio a fin de que las mujeres tengan un lugar en el cual crecer, progresar, aumentar su fe, hablar de las realidades de la vida familiar y llorar la una con la otra a causa de todas las […] circunstancias que nos rodean en la vida mortal. No podemos ceder a esas voces que dicen que solamente es un círculo de hermanas que se juntan para coser o un club de lectura de libros para personas que tienen intereses y trayectorias afines. No, la Sociedad de Socorro tiene una obra que llevar a cabo en la tierra. Al pertenecer a la Sociedad de Socorro, somos parte de esa obra. El Señor tiene una mayordomía para Sus hijas en la obra de salvación, la cual solo podemos efectuar nosotras. Únicamente la pueden efectuar mujeres que realmente estén convertidas al Señor"[12].

A lo largo de los años, he aprendido que hay motivos divinos por los cuales, como hombres y mujeres, estamos organizados en cuórums del sacerdocio y Sociedades de Socorro en La Iglesia de Jesucristo de los Santos de los Últimos Días. Tenemos una tarea por hacer en el reino de Dios, como personas, como familias, como cuórums del sacerdocio y como Sociedades de Socorro.

La hermana Julie B. Beck, quien fuera Presidenta General de la Sociedad de Socorro, explicó:

"Un cuórum del sacerdocio es un grupo de hombres […] que tienen que llevar a cabo una labor especial […].

"'La Sociedad de Socorro es la organización del Señor para las mujeres'[13] [...]. La palabra *sociedad* tiene un significado casi idéntico al de *cuórum*. Denota a un 'grupo que coopera y persevera', y se distingue por las aspiraciones y las creencias que tiene en común".

Después ilustró "cinco razones importantes por las que pertenecemos a cuórums y Sociedades de Socorro". Primera: "Para organizarnos bajo la dirección del sacerdocio y de acuerdo con el modelo de este". Segunda: "Para centrar a los hijos e hijas del Padre Celestial en la obra de salvación a fin de que participen en ella". Tercera: "Para ayudar a los obispos a dirigir con sabiduría el almacén del Señor". Cuarta: "Para proporcionar una defensa y un refugio a los hijos del Padre Celestial y sus familias en los últimos días". Y quinta: "Para fortalecernos y apoyarnos en nuestras responsabilidades dentro de la familia y como hijos e hijas de Dios"[14].

¿Por qué es importante que cada uno de nosotros se conecte con su cuórum o Sociedad de Socorro? Testifico que el hacerlo nos ayuda a formar parte de la obra más importante que existe. El presidente Russell M. Nelson dijo: "Nuestro Salvador y Redentor, Jesucristo, llevará a cabo algunas de Sus obras más maravillosas entre ahora y cuando vuelva de nuevo"[15]. Como discípulos de Jesucristo necesitamos ser participantes activos en Su obra.

El Señor mismo ha dicho: "He aquí, *apresuraré mi obra en su tiempo*. Y os doy a vosotros, que sois los primeros obreros en este último reino, el mandamiento de que os reunáis, y de que os organicéis, os preparéis y santifiquéis; sí, purificad vuestro corazón y limpiad vuestras manos y vuestros pies ante mí, para que yo os haga limpios" (D. y C. 88:73–74; cursiva agregada).

El presidente Nelson nos ha invitado a reunir a Israel a ambos lados del velo. Si hemos de cumplir "el desafío *más grande*, la causa *más sublime* y la obra *más grandiosa* sobre la tierra"[16], debemos trabajar juntos, a nivel personal; con nuestra familia; como miembros de cuórums del sacerdocio y Sociedades de Socorro divinamente organizados; de forma interdependiente como miembros de nuestros barrios, nuestras estacas y de la Iglesia en general; y bajo la dirección de las llaves del sacerdocio.

"En los llamamientos eclesiásticos, las ordenanzas del templo, las relaciones familiares y en el discreto ministerio individual, las mujeres y los hombres Santos de los Últimos Días actúan con el poder y la autoridad del sacerdocio. Esta interdependencia entre los hombres y las mujeres al llevar a cabo la obra de Dios por medio de Su poder es fundamental en el evangelio restaurado de Jesucristo por medio del profeta José Smith"[17] y servirá para preparar al mundo para la segunda venida del Salvador.

Sheri Dew, quien fuera Segunda Consejera de la Presidencia General de la Sociedad de Socorro, dijo lo siguiente a las mujeres de la Iglesia: "Estamos aquí para influir en el mundo en lugar de recibir la influencia del mundo. Si pudiésemos desencadenar toda la influencia de las mujeres que guardan convenios, el reino de Dios cambiaría de un día para otro"[18]. También creo que las discípulas de Jesucristo pueden tener influencia en el mundo, que influyen en él y que aún tenemos mucho potencial dentro de nosotras que puede hacer mucho bien si guardamos nuestros convenios y si participamos en la preparación de la tierra para la segunda venida de Jesucristo.

PODEMOS ACUDIR AL SALVADOR AL TRABAJAR JUNTAS COMO MUJERES DE SION, DE FORMA INTERDEPENDIENTE CON LOS HOMBRES, A FIN DE COMPARTIR CON LOS DEMÁS EL GOZO DEL EVANGELIO.

NOTAS

1. *Hijas en Mi reino: La historia y la obra de la Sociedad de Socorro*, 2011, pág. 3.
2. Eliza R. Snow, en *Hijas en Mi reino, pág. 7.*
3. *Hijas en Mi Reino*, págs. 3–4.
4. Véase José Smith, en *Hijas en Mi reino*, pág. 14.
5. Emma Smith, en *Hijas en Mi reino, pág. 16.*
6. *Enseñanzas de los Presidentes de la Iglesia: Joseph F. Smith*, 1999, pág. 198.
7. "Sirvamos unidas", *Himnos*, nro. 205.
8. Véase "Sirvamos unidas", *Himnos*, nro. 205.
9. Boyd K. Packer, en *Hijas en Mi reino*, pág. 97.
10. Thomas S. Monson, "Si estáis preparados, no temeréis", *Liahona*, noviembre de 2004, pág. 115.
11. Jean B. Bingham, "Cuán grande es nuestro propósito", Conferencia de la Universidad Brigham Young para Mujeres, mayo de 2017.
12. Sharon Eubank, "Ojos para ver, disciplina para crear, goma para pegar — Convertidas al Señor", Conferencia de la Universidad Brigham Young para Mujeres, mayo de 2017.

13. *Enseñanzas de los Presidentes de la Iglesia: Spencer W. Kimball*, 2006, pág. 240.

14. Julie B. Beck, "Por qué estamos organizados en cuórums y en Sociedades de Socorro", (devocional de la Universidad Brigham Young, 12 de enero de 2012), speeches.byu.edu.

15. Russell M. Nelson, "Revelación para la Iglesia, revelación para nuestras vidas", *Liahona*, mayo de 2018, pág. 96.

16. Russell M. Nelson, "Juventud de Israel", (devocional mundial para los jóvenes, 3 de junio de 2018), ChurchofJesusChrist.org/study/broadcasts/worldwide -devotional-for-young-adults/2018/06/hope-of-israel?lang=spa.

17. "Enseñanzas de José Smith sobre el sacerdocio, el templo y las mujeres", Temas del Evangelio, ChurchofJesusChrist.org/study/manual/gospel-topics-essays /joseph-smiths-teachings-about-priesthood-temple-and-women?lang=spa.

18. Sheri Dew, "Despertémonos, levantémonos y vengamos a Cristo", Conferencia de la Universidad Brigham Young para Mujeres, mayo de 2008.

UN DON DE PODER DEL SACERDOCIO DE DIOS

El presidente Russell M. Nelson enseñó: "Toda mujer y todo hombre que hace convenios con Dios y los guarda, y que participa dignamente en las ordenanzas del sacerdocio, tiene acceso directo al poder de Dios. Quienes han sido investidos en la Casa del Señor reciben un don de poder del sacerdocio de Dios en virtud de ese convenio, junto con un don de conocimiento para saber cómo recurrir a ese poder". Después, dirigiéndose a las mujeres de la Iglesia, dijo: "Hermanas, ustedes tienen el derecho a recurrir libremente al poder del Salvador para ayudar a su familia y a otros seres queridos […]. Conforme aumente su comprensión y ejerzan fe en el Señor y en el poder de Su sacerdocio, aumentará su capacidad para recurrir a ese tesoro espiritual que el Señor ha puesto a su alcance"[1].

He visto muchos ejemplos de mujeres y hombres que han

recibido ese don de poder del sacerdocio de Dios en su vida. Mencionaré dos de ellos. El primero es el de una hermana viuda que conocí en la República Democrática del Congo. La capital, Kinshasa, es una ciudad de mucho movimiento, aunque en ella impera la pobreza. Para llegar a su vivienda, había que caminar desde la calle por un estrecho callejón entre las casas. Ella tiene cuatro hijas. Cuando su esposo falleció, buscó el apoyo de sus parientes, pero estos también eran pobres y no podían prestarle ayuda, así que tuvo que salir a ganarse la vida por su cuenta. Sus hijas no podían ir a la escuela debido a que no le alcanzaba para comprarles uniformes, por lo cual se sentía muy mal. Un día, escuchó de unas clases que ofrecían misioneros de servicio a la Iglesia.

Con el tiempo, la familia se unió a la Iglesia, aunque la mamá aún no lograba ser autosuficiente. En una reunión de consejo de barrio se sugirió que ella comenzara un negocio. En ese entonces, el Templo de Kinshasa estaba en construcción, así que la hermana comenzó un pequeño negocio de venta de comida para los que trabajaban en la construcción del templo. Eso marcó una enorme diferencia en su vida. En su hogar solo tenía un pequeño refrigerador y algunas ollas. Todos los días iba al sitio de construcción del templo a vender comida. Su negocio creció y ella comenzó a ganar lo suficiente para mantener los estudios de sus hijas. Más adelante, la mayor de sus hijas comenzó a ir a la universidad.

Cuando la visité, me llamó la atención que en un rincón de su pequeña casa tenía un espejo grande. Solo tenía ese espejo, unas sillas de plástico, una mesa y un pequeño estante para libros. Cuando vi el espejo, supe que lo había comprado para que sus hijas pudieran ver lo hermosas que son y quiénes pueden llegar a ser. Nuestros convenios son como un espejo, ya que en ellos podemos vernos a nosotros mismos y también nuestro futuro; podemos ver dónde nos encontramos ahora y hacia dónde desea el Señor que vayamos. Imaginemos lo que sucederá con esa hermana y todas las bendiciones que recibirá. Los convenios que hizo con Dios dieron un giro total a su vida. El convenio del bautismo y el don del Espíritu Santo le dieron el poder para sacar adelante a su familia. Ella halló poder en lo temporal y lo espiritual después de que no tenía ninguno. Ahora que se ha dedicado el Templo de Kinshasa, ella tiene la oportunidad de ser investida con mayor "poder de lo alto" (D. y C. 95:8).

El segundo ejemplo es el de una pareja de Argentina que vivía en Orem, Utah. La esposa era miembro de la Iglesia, pero el esposo no. Él era un buen hombre y durante muchos años la acompañó a la Iglesia. Muchas personas pensaban que él era miembro. Un buen día, después de algunos años, finalmente también fue bautizado. Mi esposo Carlos y yo no pudimos asistir al servicio bautismal, pero al día siguiente vimos al hermano en la Iglesia. Carlos me preguntó con tono de asombro: "¿Te fijaste? ¡El hermano parece otra persona! ¿Qué le sucedió?". El hermano en realidad era otra persona; su semblante simplemente resplandecía. A pesar de que había asistido a la Iglesia durante mucho tiempo, cuando finalmente hizo el convenio bautismal, el poder del sacerdocio comenzó a surtir efecto en su vida. Con el tiempo, ese matrimonio recibió la investidura y se selló en el templo antes de regresar a Argentina. Un año después, nos enteramos de que el hermano había sido llamado a servir como obispo. Su vida y su madurez se vieron acelerados de forma espectacular en cuanto él hizo convenios, aunque tomó tiempo y paciencia.

Entonces, ¿cómo recibimos poder del sacerdocio? Al igual que las personas de estos dos ejemplos, *cada hombre y cada mujer reciben poder del sacerdocio conforme participan en las ordenanzas del sacerdocio y guardan los convenios pertinentes.* Entre ellos se encuentran los convenios que se hacen en el bautismo y en el templo[2]. En Doctrina y Convenios aprendemos que para tener acceso al poder del sacerdocio también se requiere rectitud personal, "benignidad, mansedumbre y [...] amor sincero" (D. y C. 121:41). Cada mujer puede recurrir al poder del sacerdocio de conformidad con sus convenios y su rectitud personal. Nadie se lo puede arrebatar, aunque nadie puede otorgarle poder del sacerdocio fuera de los convenios y de su esfuerzo individual por mantenerse fiel a ellos.

Hay bendiciones y promesas específicas que el Señor ha hecho a aquellos que guardan los mandamientos. Los siguientes son algunos ejemplos de las Escrituras:

- Si pagamos el diezmo, el Señor dice: "... abriré las ventanas de los cielos y derramaré sobre vosotros bendición hasta que sobreabunde" (Malaquías 3:10).

- Si guardamos la Palabra de Sabiduría, "hallar[emos] sabiduría y grandes tesoros de conocimiento" (véase D. y C. 89:18–21).
- Si participamos de forma activa en la Iglesia y ministramos a los demás, "no se podrá impedir que los ángeles [nos] acompañen"[3].
- Y si guardamos nuestros convenios bautismales y del templo "la doctrina del sacerdocio destilará sobre [nuestra] alma como rocío del cielo" (D. y C. 121:45–46).

Siempre me entristece cuando escucho a una hermana decir: "No tengo el sacerdocio en mi casa". Normalmente, ella se refiere a que en su hogar no hay ningún hombre que haya sido ordenado a un oficio del sacerdocio. Con certeza, una mujer sin pareja, o una cuyo esposo no haya sido ordenado a un oficio del sacerdocio, no tiene que sentirse privada del poder ni de las bendiciones del sacerdocio. Esas hermanas pueden recurrir al poder del sacerdocio que reciben por medio de sus convenios, y la fidelidad con la que guarden esos convenios puede bendecir a cada integrante de su familia. Si bien tienen que recurrir a los hermanos que poseen el Sacerdocio de Melquisedec para recibir una bendición de salud o de consuelo, ellas mismas son una fuente de poder del sacerdocio en su hogar.

El presidente M. Russell Ballard enseñó: "Todo hombre y toda mujer tiene acceso a ese poder para recibir ayuda en su vida. Todos los que han hecho convenios sagrados con el Señor y que honran dichos convenios son dignos de recibir revelación personal, de ser bendecidos con el ministerio de ángeles, de comunicarse con Dios, de recibir la plenitud del Evangelio y, finalmente, de llegar a ser herederos junto con Jesucristo de todo lo que el Padre tiene"[4].

A veces, la diferencia que hay entre el *poder* del sacerdocio y la *autoridad* del sacerdocio llega a causar cierta confusión.

El *poder* del sacerdocio es el poder de Dios con el cual cuentan en su vida los hombres y las mujeres que guardan sus convenios. La *autoridad* del sacerdocio es el permiso o la licencia que se posee para llevar a cabo deberes específicos del sacerdocio, y se recibe por medio de la ordenación a un oficio del sacerdocio y al ser apartado para cumplir un llamamiento en la Iglesia[5].

La autoridad del sacerdocio se confiere mediante la imposición de manos bajo la dirección de aquellos que poseen llaves del sacerdocio. Las mujeres reciben esa autoridad por medio de llamamientos. Los hombres la reciben mediante llamamientos o la ordenación a un oficio del sacerdocio. El presidente Dallin H. Oaks lo explicó con claridad cuando dijo: "Quienquiera que funcione en un oficio o llamamiento recibido de alguien que posea llaves del sacerdocio, ejerce autoridad del sacerdocio al desempeñar los deberes que se le hayan asignado"[6].

Un hombre o una mujer que tenga la *autoridad* del sacerdocio no tiene el *poder* del sacerdocio si no es digno o digna, o procura ejercer mando, dominio o compulsión sobre los demás, en cualquier grado de injusticia[7].

El poder del sacerdocio no es lo mismo que el poder del mundo. La postura del mundo en cuanto al poder es que "puedo hacer lo que me venga en gana, y puedo decirte lo que debes hacer, aquí yo doy las órdenes y tú tienes que obedecer". Me encanta la manera en que una hermana de mente perspicaz expresó este concepto: "En el mundo, el hecho de tener poder normalmente [implica] amasar fortuna y acumular bienes, conocimiento y autoridad, y valerse de todo eso con el fin de lograr influencia, aprobación, estatus o control sobre otras personas. Por el contrario, en el reino de Dios, la finalidad de la posesión de poder, recursos, conocimiento y autoridad consiste en pasarlos a otras personas a fin de facultarlas para que obtengan poder por su cuenta, lleguen a ser más semejantes a Dios y puedan entrar en Su presencia"[8].

Como lo expresó la hermana Linda K. Burton, quien fuera General Presidenta de la Sociedad de Socorro: "La rectitud es el requisito que todos nosotros debemos cumplir para invitar el poder del sacerdocio a nuestra vida"[9].

Invito a cada uno de nosotros a prestar atención a las palabras que se expresan en cada una de las ordenanzas del sacerdocio. Escuchemos cada vez que la palabra "sacerdocio" se menciona en el templo. ¿Cómo se aplica a nosotros? ¿Cómo nos bendice?

Sé que recibimos poder al hacer y guardar convenios, y mediante nuestra rectitud, y sé que podemos emplear ese poder para bendecir nuestra vida y la de otras personas.

PODEMOS ACUDIR AL SALVADOR AL
GUARDAR NUESTROS CONVENIOS
EN RECTITUD Y RECURRIR AL PODER
DEL SACERDOCIO DE DIOS.

NOTAS

1. Russell M. Nelson, "Tesoros espirituales", *Liahona*, noviembre de 2019, págs. 77–79.
2. Véase M. Russell Ballard, "Let Us Think Straight", Semana de la Educación de la Universidad Brigham Young, 20 de agosto de 2013; véase también Doctrina y Convenios 84:20.
3. History of the Church, 4:604–605; de un discurso pronunciado por José Smith el 28 de abril de 1842 en Nauvoo, Illinois; relato de Eliza R. Snow.
4. M. Russell Ballard, "Los hombres y las mujeres, y el poder del sacerdocio", *Liahona*, septiembre de 2014, pág. 36.
5. Véase Dallin H. Oaks, "Las llaves y el poder del sacerdocio", *Liahona*, mayo de 2014, págs. 49–52.
6. Oaks, "Las llaves y el poder del sacerdocio".
7. Véase Doctrina y Convenios 121:34–45.
8. Wendy Ulrich, *Live Up to Our Privileges*, Salt Lake City: Deseret Book, 2019, pág. 7.
9. Linda K. Burton, "Priesthood: 'A Sacred Trust to Be Used for the Benefit of Men, Women, and Children'", Conferencia de la Universidad Brigham Young para Mujeres, mayo de 2013.

UNÁNIMES

Una de las criaturas más excepcionales del mundo es la mariposa monarca. En un viaje que hicimos a México para pasar la Navidad con la familia de mi esposo, visitamos un majestuoso santuario donde millones de mariposas monarca pasan el invierno. Fue fascinante contemplar esa impresionante escena y reflexionar en el ejemplo de unidad y obediencia a las leyes divinas que demuestran las creaciones de Dios (véase Abraham 4:7, 9–12, 15, 18, 21, 24–25; 3:26).

Las mariposas monarca tienen un gran sentido de orientación y se valen de la posición del sol para saber hacia dónde ir. Cada primavera, viajan miles de kilómetros desde México hasta Canadá, y en el otoño regresan a los mismos bosques de oyamel en México[1]. Lo hacen año tras año, un diminuto aleteo a la vez. Si bien las mariposas viajan solas durante el día, por la noche se agrupan en árboles para protegerse del frío y de los depredadores[2]. Cuando se juntan, pareciera como si estuvieran bailando al son de una música que nosotros no escuchamos, como si vieran algo que nosotros no vemos y como si supieran algo que nosotros no sabemos. Ellas tienen un propósito definido.

En inglés, a un grupo de mariposas se le llama caleidoscopio[3]. ¿Acaso no es linda esa imagen? Cada mariposa del caleidoscopio es única y distinta. A estas aparentemente frágiles criaturas las diseñó un Creador amoroso que les dio capacidad para sobrevivir, trasladarse, multiplicarse y diseminar vida de una flor a otra, esparciendo polen. Aunque cada una es diferente, ellas trabajan juntas para hacer del mundo un lugar hermoso y fructífero.

Como las mariposas monarca, nosotros estamos en una travesía de vuelta al hogar celestial donde nos reuniremos con nuestros padres celestiales[4]. Al igual que ellas, hemos recibido atributos divinos que nos permiten navegar por la vida para que cumplamos la medida de nuestra creación (véase D. y C. 88:19). Como ellas, si entrelazamos los corazones, el Señor nos protegerá "como la gallina junta sus polluelos bajo las alas" (3 Nefi 10:4) y hará de nosotros un bello caleidoscopio.

Estamos todos juntos en esta travesía. Para llegar a nuestro sublime destino, nos necesitamos el uno al otro y debemos unirnos. El Señor nos ha mandado: "Sed uno; y si no sois uno, no sois míos" (D. y C. 38:27).

Jesucristo es el ejemplo máximo de unidad con Su Padre. Ellos son uno en propósito, en amor y en obras, con "la voluntad del Hijo siendo absorbida en la voluntad del Padre" (Mosíah 15:7).

¿Cómo podemos seguir el ejemplo perfecto de unidad del Señor con Su Padre y ser más unidos con Ellos y entre nosotros?

En Hechos 1:14 se encuentra un modelo inspirador: "[Los hombres] perseveraban *unánimes* en oración y ruego, con las mujeres" (cursiva agregada).

Me parece significativo que el concepto de la unanimidad se encuentre varias veces en el libro de Hechos[5], donde leemos lo que los seguidores de Jesucristo hicieron poco después de que Él ascendió al cielo como Ser resucitado, y las bendiciones que recibieron gracias a sus empeños. También resulta significativo que hubiera un modelo similar entre los fieles del continente americano en la época en la que el Señor los visitó y ministró. "Unánimes" significa en acuerdo, en unidad y todos juntos.

Algunas de las cosas que los santos fieles hicieron en unidad en ambos lugares fueron: testificar de Jesucristo, estudiar juntos la palabra de Dios y ministrarse el uno al otro con amor[6].

Los seguidores del Señor eran uno en propósito, en amor y en obras; sabían quiénes eran, sabían lo que tenían que hacer y lo hacían con amor hacia Dios y con amor mutuo, el uno por el otro. Formaban parte de un magnífico caleidoscopio que avanzaba con unanimidad.

Algunas de las bendiciones que recibieron fueron que se

encontraban llenos del Espíritu Santo, sucedieron milagros entre ellos, la Iglesia creció, no había contenciones entre la gente y el Señor los bendijo en todas sus obras[7].

Podemos suponer que eran tan unidos porque conocieron al Señor de forma personal; habían estado cerca de Él y habían sido testigos de Su misión divina, de los milagros que efectuó, de Su crucifixión y de Su resurrección. Vieron y tocaron las marcas en Sus manos y pies; sabían con certeza que Él era el prometido Mesías, el Redentor del mundo. Sabían que "Él es la fuente de toda sanidad, paz y progreso eterno"[8].

En nuestro caso, aunque quizá no hayamos visto al Salvador con nuestros ojos físicos, podemos saber que Él vive. Al acercarnos a Él y procurar adquirir un testimonio personal de Su misión divina por medio del Espíritu Santo, comprenderemos mejor nuestro propósito; el amor de Dios morará en nuestro corazón (véase 4 Nefi 1:15); tendremos la determinación de ser uno en el caleidoscopio de nuestra familia, nuestro barrio y nuestra comunidad; y nos ministraremos "de maneras nuevas y mejores"[9].

Cuando los hijos de Dios trabajan juntos con la guía del Espíritu para tender una mano a los demás, ocurren milagros.

Después de esa aterradora noche del terremoto de 1972, cuando en mi familia perdimos todo lo que teníamos, incluso a mi hermano, recibimos gran cantidad de ayuda de mucha gente. Nuestros parientes, vecinos, amigos y hasta perfectos desconocidos, tuvieron gestos de bondad para con nosotros. No recuerdo haber tenido hambre ni frío en esos días; siempre tuve alimentos y un lugar donde dormir.

Más adelante me enteré de que por la mañana después del terremoto, mientras mis padres esperaban que amaneciera para ir al cementerio a enterrar a mi hermano y a mi primita, un vecino al que apenas conocíamos se detuvo y les preguntó si tenían un ataúd para enterrar a los niños. Mis padres le dijeron que pensaban envolverlos en una frazada. El vecino les dijo que lo esperaran, ya que el vería si podía hacer algo al respecto. No mucho tiempo después, regresó con un féretro que era lo suficientemente grande para colocar a los dos pequeños. Mis padres le dijeron que no tenían dinero para pagar el ataúd, pero ese buen vecino les dijo que era un obsequio de su parte. Este es solo un ejemplo de toda la ayuda que recibimos de muchas personas.

Unos días después del temblor, mi abuelo materno llegó por nosotros en un enorme camión. Él vivía en un pequeño pueblo llamado San Isidro que se encuentra a unos 120 kilómetros (75 millas) al norte de Managua. Mi mamá, mi hermanita y yo nos quedamos en casa de mi abuelo. Casi todos los días íbamos a la plaza central del pueblo y nos formábamos en una fila de gente. Ahí recibíamos todo tipo de cosas, la mayoría de las veces alimentos, y en otras ocasiones, ropa, artículos de tocador o medicinas. Cada vez que íbamos a recibir esa ayuda, me invadía un sentimiento de reverencia y gratitud. En cada artículo que recibíamos, podía sentir la bondad y el amor de la gente que los había donado y de las personas que nos los entregaban. Eso me hacía sentir segura y protegida. Los artículos llegaban de distintas partes del mundo y provenían de personas que nos estaban tendiendo la mano a pesar de que no nos conocían personalmente. En aquel entonces, yo no entendía lo que era la caridad, pero esa experiencia me causó un gran impacto. La generosidad que mostramos marca una diferencia en otras personas y estas pueden sentir el amor de Dios por medio de nosotros.

A medida que nos damos cuenta de cuánto nos necesitamos el uno al otro en nuestro trayecto terrenal, podemos participar de forma más activa en el caleidoscopio de nuestro barrio o rama, en el cual todos encajamos y donde se nos necesita a todos.

Cada una de nuestras sendas es distinta; no obstante, las recorremos juntos. Nuestra senda no tiene que ver con lo que hayamos hecho ni dónde hayamos estado, sino con el rumbo que llevamos y lo que estamos llegando a ser, en unidad. Al deliberar en consejo con la guía del Espíritu Santo, podemos ver dónde estamos y dónde debemos estar. El Espíritu Santo nos da una visión que los ojos naturales no pueden ver, porque "la revelación está esparcida entre nosotros"[10], y al juntar esa revelación podemos ver más.

Al trabajar unidos, nuestro propósito debe ser procurar y hacer la voluntad del Padre; nuestro incentivo debe ser el amor que sentimos por Dios y por el prójimo (véase Mateo 22:37–40); y nuestro mayor deseo debe ser "[trabajar] diligentemente" (Jacob 5:61), a fin de preparar el camino para el regreso glorioso del Salvador. Solamente podremos hacerlo si somos "unánimes".

Una amiga lo explicó de esta manera: en el campo de la música, el equivalente a la unanimidad sería estar en armonía. Para lograrla, no todos tenemos que cantar la misma nota, incluso en ocasiones hay que improvisar. Cada voz, ya sea alta o baja o media, tiene un lugar para que se logre un sonido magistral. Si un acorde se canta en armonía perfecta, se logra lo que se llama un armónico. Un armónico es una nota que en realidad no se toca ni se canta, pero el oído adiestrado lo escucha con claridad. Sin embargo, si una sola nota queda ligeramente fuera de tono, el armónico se pierde y todo el acorde puede caer en la disonancia.

En nuestra Iglesia, cada persona tiene una nota que cantar. Lo maravilloso de la música es que se puede lograr una armonía completa y perfecta al escuchar atentamente el armónico, o sea el Espíritu. Educar el oído para escuchar el armónico requiere tiempo y práctica, pero si nos concentramos a fin de escuchar esa tonalidad, o, en nuestra vida, si nos esforzamos por sentir el Espíritu, podemos estar a tono con Cristo.

Al igual que las mariposas monarca, sigamos juntos en propósito, cada uno con sus atributos y aportaciones, para que este mundo sea más hermoso y fructífero, un pequeño paso a la vez y en armonía con los mandamientos de Dios.

Unamos nuestra fe y nuestro deseo de conocer la voluntad de Dios para cada uno de nosotros. El Señor Jesucristo nos ha prometido que cuando nos congregamos en Su nombre, Él está en medio de nosotros (véase Mateo 18:20). Testifico que Él vive, y que resucitó una hermosa mañana de primavera para ofrecernos el don de la inmortalidad. Él es el Monarca de monarcas, el "Rey de reyes y Señor de señores" (1 Timoteo 6:15).

Que seamos uno en el Padre y en Su Hijo Unigénito al ser guiados por el Espíritu Santo.

PODEMOS ACUDIR AL SALVADOR SI
ENTRELAZAMOS LOS CORAZONES
EN UNIDAD Y AMOR CON LAS
PERSONAS QUE NOS RODEAN.

NOTAS

1. Un dato interesante acerca de la mariposa monarca es que toma hasta tres generaciones para hacer el viaje hacia el norte rumbo a Canadá. Sin embargo, una sola "supergeneración" hace todo el viaje hasta México, pasa el invierno allá y avanza la primera parte del viaje de vuelta al norte. Véanse "Flight of the Butterflies" (video, 2012); "Flight: A Few Million Creatures That Could," WBUR News, 28 de septiembre de 2012, wbur.org.
2. Véase "Why Do Monarchs Form Overnight Roosts during Fall Migration?", learner.org/jnorth/tm/monarch/sl/17/text.html.
3. Véase "What Is a Group of Butterflies Called?", amazingbutterflies.com/frequentlyaskedquestions.htm; Véase también "kaleidoscope", merriam-webster.com. *Kaleidoscope* viene del griego *kalos* (bello) y *eidos* (forma).
4. Véase "La Familia: Una Proclamación para el Mundo", *Liahona,* noviembre de 2010, pág. 129.
5. Véase Hechos 2:1, 46; 4:24; 5:12; 8:6; 12:20; 15:25; 19:29. Véanse también

Filipenses 2:2; 1 Nefi 10:13; 3 Nefi 11:15–17, 27–28; 17:9; Doctrina y Convenios 104:62.

6. Algunas de las cosas que los santos hicieron en Jerusalén: eligieron a un nuevo apóstol y a siete varones de buen testimonio, y los apoyaron (véanse Hechos 1:26; 6:3–5); se reunían en el día de Pentecostés (véase Hechos 2:1); testificaban de Jesucristo (véanse Hechos 2:22–36; 3:13–26; 4:10, 33; 5:42); llamaban a las personas al arrepentimiento y las bautizaban (véase Hechos 2:38–41); perseveraban unánimes y partían el pan (véase Hechos 2:42); estaban juntos y tenían en común todas las cosas (véanse Hechos 2:44–46; 4:34–35); asistían al templo (véase Hechos 2:46); comían juntos con alegría y sencillez de corazón (véase Hechos 2:46); alababan a Dios y tenían favor con todo el pueblo (véase Hechos 2:47); eran obedientes a la fe (véase Hechos 6:7); persistían en la oración y en el ministerio de la palabra (véase Hechos 6:4). Algunas de las cosas que los santos hicieron en el continente americano: predicaban el evangelio de Cristo (véase 3 Nefi 28:23); establecieron una iglesia de Cristo (véase 4 Nefi 1:1); bautizaban (véase 4 Nefi 1:1); obraban rectamente unos con otros (véase 4 Nefi 1:2); tenían en común todas las cosas (véase 4 Nefi 1:3); reconstruyeron ciudades (véase 4 Nefi 1:7–9); se daban en matrimonio (véase 4 Nefi 1:11); se guiaban por los mandamientos que habían recibido del Señor (véase 4 Nefi 1:12); perseveraban en ayuno y oración (véase 4 Nefi 1:12); se reunían a menudo para orar y escuchar la palabra del Señor (véase 4 Nefi 1:12).

7. Algunas de las bendiciones que recibieron los santos de Jerusalén: fueron llenos del Espíritu Santo (véanse Hechos 2:4; 4:31); recibieron el don de lenguas y profecía, y hablaban de las maravillas de Dios (véase Hechos 2:4–18); muchas maravillas y señales fueron hechas por los Apóstoles (véase Hechos 1:43); ocurrieron milagros (véanse Hechos 3:1–10; 5:18–19; 6:8, 15); más personas se unieron a la Iglesia (véanse Hechos 2:47; 5:14). Algunas de las bendiciones que recibieron los santos del continente americano fueron: la gente se convirtió al Señor (véanse 3 Nefi 28:23; 4 Nefi 1:2); una generación fue bendecida (véase 3 Nefi 28:23); no había contenciones ni disputas entre ellos (véase 4 Nefi 1:2, 13, 15, 18); no había ricos ni pobres (véase 4 Nefi 1:3); fueron hechos libres y participantes del don celestial (véase 4 Nefi 1:3); hubo paz en la tierra (véase 4 Nefi 1:4); ocurrieron grandes milagros (véase 4 Nefi 1:5, 13); el Señor los prosperó en gran manera (véase 4 Nefi 1:7, 18); se hicieron fuertes, se multiplicaron con rapidez y llegaron a ser hermosos y deleitables en extremo (véase 4 Nefi 1:10); fueron bendecidos de acuerdo con la multitud de las promesas que el Señor les había hecho (véase 4 Nefi 1:11); no había contenciones en la tierra, a causa del amor de Dios que moraba en

el corazón del pueblo (véase 4 Nefi 1:15); no había envidias, ni contiendas, ni tumultos, ni fornicaciones, ni mentiras, ni asesinatos, ni lascivias de ninguna especie; y ciertamente no podía haber un pueblo más dichoso entre todos los que habían sido creados por la mano de Dios (véase 4 Nefi 1:16); no había ladrones, ni asesinos, ni lamanitas, ni ninguna especie de -itas, sino que eran uno, hijos de Cristo y herederos del reino de Dios (véase 4 Nefi 1:17); el Señor los bendijo en todas sus obras (véase 4 Nefi 1:18).

8. Jean B. Bingham, "Para que tu gozo sea completo", *Liahona*, noviembre de 2017, pág. 85.

9. Jeffrey R. Holland, "Emisarios a la Iglesia", *Liahona*, noviembre de 2016, pág. 62.

10. Véase Neil L. Andersen, en Adam C. Olson, "Capacitación sobre los Manuales de Instrucciones", *Liahona*, abril de 2011, pág. 76.

EL PODER DEL
LIBRO DE MORMÓN

Cuán bendecidos somos de ser miembros de La Iglesia de Jesucristo de los Santos de los Últimos Días! Estamos en la dispensación del cumplimiento de los tiempos[1]; las ventanas de los cielos están abiertas; y el Señor nos bendice con revelación a nivel general en la Iglesia y a nivel personal en nuestra vida[2]. Esta es una Iglesia viviente presidida por un profeta viviente, el presidente Russell M. Nelson, por medio de quien el Señor nos revela Su voluntad.

No obstante, debido a que vivimos en un mundo caído, estamos sujetos a todo tipo de tribulaciones y aflicciones. Al igual que José Smith, vivimos en una época de confusión, de contención, de clamor, de alboroto y de contienda. También nos encontramos en medio de una "guerra de palabras y [un] tumulto de opiniones"[3], y nos rodea la maldad y la iniquidad. Además, a medida que atravesamos por nuestra experiencia terrenal, en ocasiones nos encontramos en medio de tribulaciones y pesar.

¿Te has sentido alguna vez sin ánimo o incapaz de hacer cierta tarea?

¿Te abruma la enorme cantidad de información que te rodea y te debates en un mar de opiniones contradictorias que te empujan en distintas direcciones?

¿Tienes preguntas y anhelos en el corazón?

¿Has levantado alguna vez la vista al cielo y preguntado: *Padre Celestial, por favor, ayúdame?*

Todos hemos pasado por esas experiencias en las que nos cuesta trabajo encontrar o recordar nuestro lugar y la finalidad de nuestra vida. Es posible que en ocasiones miremos hacia el futuro y sintamos que no contamos con los medios necesarios para enfrentarlo. Puede que, otras veces, pensemos en el día o la semana siguiente y nos llenemos de pánico.

En esos momentos, podría ser difícil creer que, si acudimos al Salvador y le volvemos el corazón, Él tiene el poder para fortalecernos y sanarnos. Sin embargo, si acudimos a Él, nos volvemos a dar cuenta de que el Padre Celestial nos ha proporcionado los medios para afrontar toda esa oposición y sentir gozo en esta vida, a pesar de las dificultades que encontremos. El presidente Russell M. Nelson nos dio una clave cuando señaló que "en los días futuros, no será posible sobrevivir espiritualmente sin la influencia guiadora, orientadora, consoladora y constante del Espíritu Santo"[4].

La pregunta que quizá debamos hacernos es: ¿cómo puedo tener la influencia constante del Espíritu Santo a fin de sobrevivir espiritualmente como lo sugirió el presidente Nelson?

La respuesta a esa pregunta se encuentra a menudo en las cosas pequeñas y sencillas que podemos incorporar en nuestra vida diaria. Esas prácticas reiteradas nos facultan para que tomemos decisiones de rectitud cada día, a fin de que el Espíritu pueda morar en nosotros. Una de ellas es el estudio constante del Libro de Mormón. Nuestros profetas han hecho hincapié una y otra vez en el poder que tiene ese libro y en la importancia de estudiarlo a diario.

El presidente Thomas S. Monson nos imploró que "cada día todos estudiemos y meditemos en el Libro de Mormón con espíritu de oración". Nos prometió que "[al] hacerlo, estaremos en condiciones de oír la voz del Espíritu, resistir la tentación, superar la duda y el temor; y recibir la ayuda del cielo en nuestras vidas"[5].

El presidente Russell M. Nelson nos enseñó que "el Libro de Mormón contiene todo el poder del evangelio de Jesucristo". Y agregó: "Cuando pienso en el Libro de Mormón, pienso en la palabra poder. Las verdades del Libro de Mormón tienen el *poder* para sanar, reconfortar, restaurar, socorrer, fortalecer, consolar y animar nuestra alma"[6].

Por experiencia propia sé que las verdades que se hallan en el

Libro de Mormón tienen el poder para cambiarnos, para acercarnos a Jesucristo, para ayudarnos a superar las tribulaciones que afrontamos en la vida y para brindarnos gozo si obedecemos leyes divinas.

Mi esposo Carlos se unió a La Iglesia de Jesucristo de los Santos de los Últimos Días en México, cuando tenía nueve años. Debido a diversas circunstancias, él y otros integrantes de su familia no se mantuvieron activos en la Iglesia. Sin embargo, Carlos no olvidó lo que había sentido cada vez que los misioneros visitaban su hogar cuando él era niño.

Años más tarde, cuando tenía 23 años, se fue a vivir a Estados Unidos con uno de sus hermanos. Algunos miembros y misioneros los visitaban de vez en cuando y en su apartamento siempre tuvieron un ejemplar del Libro de Mormón, el cual, por mucho tiempo, estuvo acumulando polvo.

Cuando Carlos tenía 27 años, terminó con una novia que tenía, lo cual fue una experiencia devastadora para él. Fue entonces que recordó la forma en que se había sentido en su niñez cuando el Espíritu Santo le testificó a su tierno corazón de la veracidad del evangelio de Jesucristo. Finalmente, tomó aquel Libro de Mormón y lo abrió. A medida que empezó a leer, algo asombroso sucedió: no podía parar de leerlo. Para entonces, él tenía dos trabajos y no contaba con mucho tiempo libre, pero en lugar de comer durante sus descansos, seguía leyendo el Libro de Mormón.

Un detalle curioso acerca de esta anécdota es que ocurrió

durante la locura de la Copa del Mundo de fútbol de la FIFA en 1990. Los que conocen a Carlos saben muy bien lo mucho que le encanta el fútbol y lo importante que es para él ese evento que tiene lugar cada cuatro años. Sin embargo, él se olvidó totalmente de la Copa del Mundo debido a que estaba cautivado con el Libro de Mormón, tanto así que lo terminó de leer en dos semanas durante el poco tiempo libre que tenía.

Algo de lo que me ha contado es esto: "En cuanto comencé a leer sobre Nefi y su familia, de inmediato me identifiqué con él, porque yo siempre traté de ser un pacificador en mi familia cuando había conflictos (los cuales, por cierto, se presentan en todas las familias). Nefi tenía el deseo sincero de conocer las cosas que su padre había visto, y creía que el Señor podía hacérselas saber, por lo que reflexionó al respecto (véase 1 Nefi 11:1). Gracias a ese sincero deseo, Nefi recibió su propio testimonio de la realidad de Jesucristo y vio una visión que lo preparó para lo que se avecinaba. En mis adentros, yo sentía que algo similar podría acontecer conmigo".

Carlos también me ha contado: "Sentía que cada llamado al arrepentimiento estaba dirigido directamente a mí. Las palabras de Nefi, Jacob, el rey Benjamín, Mosíah, Abinadí y todos los profetas del Libro del Mormón, así como su testimonio de la misión divina de Jesucristo, me llegaron a lo más profundo del corazón. Cuando leí el relato de Alma, hijo, y de la angustia que sintió al recordar sus pecados, yo me sentí de la misma manera porque tenía el alma atormentada. Por otra parte, cuando leí sobre el gozo que Alma sintió al recordar 'haber oído a [su] padre profetizar al pueblo concerniente a la venida de un Jesucristo, un Hijo de Dios, para expiar los pecados del mundo' (Alma 36:17), me llené de esperanza al saber que yo también podía ser perdonado".

A medida que Carlos leyó el Libro de Mormón, tuvo un cambio de corazón y llegó a ser otra persona. Regresó a la Iglesia y comenzó a asistir todos los domingos a fin de renovar el convenio que había hecho en su infancia. Mediante ese pequeño acto de fe de acercarse al Señor mediante la lectura del Libro de Mormón, descubrió un universo completo de verdad y luz en su vida.

Algo similar sucedió conmigo cuando tenía 26 años. Recuerdo claramente los sentimientos de paz y consuelo que tuve cuando comencé a leer el Libro de Mormón tras seguir la invitación que me hicieron los misioneros. En esa ocasión, me llamó la atención una recurrente promesa que el Señor hace en el libro: "Si guardáis mis mandamientos, prosperaréis en la tierra" (2 Nefi 1:20). ¡Nunca había escuchado ese concepto! ¡Qué hermosa promesa! El Señor nos asegura que, si somos obedientes a Sus mandamientos, seremos bendecidos y prosperaremos, tanto en lo temporal como en lo eterno.

¿Acaso significa eso que tenemos que ser perfectos? ¡No! ¡No tenemos que ser perfectos en todos los aspectos de nuestra vida! Solo debemos tener un deseo sincero de saber y obedecer, al igual que sucedió con Nefi y Carlos. Eso es lo que tiene que ser exacto: nuestro deseo de obedecer. Si nos esforzamos por ser obedientes, por medio del Espíritu Santo recibiremos esa seguridad de que el Señor está complacido con nuestro esfuerzo. Ojalá podamos recordar Su promesa: "Al grado que guardes los mandamientos de Dios, prosperarás en la tierra [y no] serás separado de su presencia" (Alma 36:30; véase también Alma 37:13).

Cada vez que escudriñamos diligentemente el Libro de Mormón, lo más seguro es que encontremos patrones simples que podemos seguir en nuestra vida para afrontar situaciones difíciles.

En 2018, el presidente Nelson nos señaló lo siguiente: "Nuestro mensaje al mundo es sencillo y sincero: invitamos a todos los hijos de Dios en ambos lados del velo a venir a su Salvador, recibir las bendiciones del santo templo, tener gozo duradero y ser merecedores de la vida eterna"[7].

Gran parte de la belleza y del poder del evangelio de Jesucristo radica en su sencillez y si nos esforzamos por vivirlo y compartir sus buenas nuevas de manera sencilla y con sinceridad, seremos instrumentos en las manos del Señor para traer más almas a Su redil.

Uno de los principios fundamentales y sencillos del Evangelio es la fe. "La fe es un principio de acción y de poder […]. Para que la fe conduzca a la salvación, debe estar centrada en el Señor Jesucristo"[8].

Si tenemos fe en Cristo; entonces creemos que Él es el Hijo de Dios, el Unigénito del Padre en la carne; lo aceptamos como nuestro Salvador y Redentor; seguimos Sus enseñanzas y creemos que podemos recibir el perdón de nuestros pecados por medio de Su expiación[9].

En las Escrituras hay muchos ejemplos de personas que ejercieron la fe en Jesucristo y, gracias a ello, esas y otras personas fueron abundantemente bendecidas.

Un ejemplo que se encuentra en el Libro de Mormón es el hermano de Jared, quien era "altamente favorecido del Señor" y tanto él como sus familiares y amigos obedecieron el mandato del Señor de que salieran para el desierto donde ningún hombre jamás había estado. Y el Señor fue delante de ellos y les dio instrucciones por dónde habían de viajar, y la mano del Señor los guiaba continuamente. Y el Señor les dijo: "Poneos a trabajar y construid barcos a semejanza de los que habéis hecho".

Y se pusieron a trabajar y construyeron barcos "de acuerdo con las instrucciones del Señor". Cuando el hermano de Jared vio que en los barcos no habría luz, acudió al Señor para pedirle ayuda y Él le respondió: "¿Qué quieres que yo haga para que tengáis luz en vuestros barcos?". Y el hermano de Jared subió al monte y de una roca fundió dieciséis piedras pequeñas; y eran blancas y diáfanas, como cristal transparente. Y las llevó ante el Señor y le dijo: "[O]h Señor, tú nos has dado el mandamiento de invocarte, para que recibamos de ti según nuestros deseos […] toca estas piedras con tu dedo, oh Señor, y disponlas para que brillen en la obscuridad". Y el Señor tocó las piedras, una por una, con el dedo. Y fue quitado el velo de ante los ojos del hermano de Jared, y vio el dedo del Señor, tras lo cual, el Señor se le mostró debido a su gran fe (véase Éter 1:34–3:6).

En alguna ocasión, todos nos hemos encontrado en una situación similar a la del hermano de Jared. Puede que la nuestra sea de un grado distinto, pero sigue siendo semejante. El Señor nos ha pedido por medio de Su profeta que vayamos y nos ministremos el uno al otro en maneras nuevas y más santas. Nos ha pedido que vayamos a un desierto donde jamás hemos estado. En la actualidad, nos ha mandado a hacer cosas difíciles del mismo modo que se le mandó al hermano de Jared a construir barcos de acuerdo con Sus instrucciones y, a lo largo del trayecto, Él va delante de nosotros y Su mano nos guía continuamente.

El Señor nos ha pedido que nos pongamos a trabajar. Sin embargo, cada vez que nos topamos con un problema que no sabemos cómo resolver, Él normalmente no nos da toda la respuesta, más bien, espera que fundamos nuestras propias piedras. Él espera que le llevemos las piedras más blancas, diáfanas y transparentes que podamos fundir, dentro de lo que nos permita nuestra capacidad y de acuerdo con nuestras circunstancias. También espera que acudamos a Él y le pidamos que toque nuestras piedras con Su dedo para que brillen en la oscuridad.

Si actuamos con fe y le damos al Señor nuestra mejor ofrenda todos los días, Él toca nuestras piedras de maneras milagrosas, se nos manifiesta de formas inesperadas y nos bendice abundantemente.

¡Cuán bendecidos somos de tener a nuestro alcance este testamento de Jesucristo y de saber que es "la palabra de Dios" (Artículos de Fe 1:8)! De principio a fin, este libro sagrado testifica de Jesucristo y de Su misión divina.

El Libro de Mormón fue escrito para nosotros y para nuestra época, en él encontramos mensajes dirigidos a nosotros en estos últimos días. A medida que leo el Libro de Mormón, me encanta encontrar esos pasajes que fueron escritos específicamente para *mí*, para *ti*... para *nosotros*.

Por ejemplo, desde el principio, en el primer capítulo del primer libro de Nefi, en el último versículo, Nefi escribió: "Pero he aquí, yo, Nefi, *os mostraré* que las tiernas misericordias del Señor se extienden sobre todos aquellos que, a causa de su fe, él ha escogido, para hacerlos poderosos, sí, hasta tener el poder de librarse" (1 Nefi 1:20; cursiva agregada). Donde dice: "*os mostraré*", ¿a quiénes se está dirigiendo? ¡A *ti*! ¡A *mí*! Así de personal es el Libro de Mormón. Así son de personales las Escrituras. Así de personal es el evangelio de Jesucristo. ¡Es para *ti*! ¡Es para *mí*! ¡Es para *cada uno de nosotros*!

Y sí, ¡es verdad! A medida que leemos el Libro de Mormón podemos ver, podemos sentir y podemos saber por nosotros mismos que las tiernas misericordias del Señor se extienden sobre todos aquellos que, a causa de su fe, Él ha escogido, para hacerlos poderosos, sí, hasta tener el poder de librarse.

¿Qué contiene el último capítulo del Libro de Mormón?

Primero, una poderosa exhortación para ti, para mí —para nosotros—, a que lo leamos y preguntemos a Dios, el Eterno Padre, en el nombre de Cristo, si el contenido del registro es verdadero. La invitación va seguida de una promesa de que, si pedimos con un corazón sincero, con verdadera intención, teniendo fe en Cristo, Él nos manifestará la veracidad del libro por el poder del Espíritu Santo, ya que, por el poder del Espíritu Santo, podemos conocer la verdad de todas las cosas (véase Moroni 10:4–5).

Más adelante, en los últimos versículos de ese último capítulo, encontramos otra exhortación y otra promesa. Dice lo siguiente: "Sí, venid a Cristo, y perfeccionaos en él, y absteneos de toda impiedad, y si os abstenéis de toda impiedad, y amáis a Dios con todo vuestro poder, mente y fuerza, entonces su gracia os es suficiente, para que por su gracia seáis perfectos en Cristo; y si por la gracia de Dios sois perfectos en Cristo, de ningún modo podréis negar el poder de Dios. Y además, si por la gracia de Dios sois perfectos en Cristo y no negáis su poder, entonces sois santificados en Cristo por la gracia de Dios, mediante el derramamiento de la sangre de Cristo, que está en el convenio del Padre para la remisión de vuestros pecados, a fin de que lleguéis a ser santos, sin mancha" (Moroni 10:32–33).

Te invito a buscar esos mensajes y esas promesas que son específicamente para *ti*, para *mí*, para *nosotros*, en estos últimos días. Si lo hacemos, hallaremos guía, seguridad, respuestas y, sobre todo, un propósito. Nos acercaremos a Dios, el Espíritu será nuestro compañero constante y seremos instrumentos en las manos del

Señor para edificar Su reino en la tierra, a fin de prepararnos nosotros mismos y preparar a los demás, a ambos lados del velo, para la gloriosa segunda venida de nuestro Salvador y Redentor.

¡Eso me encanta! ¡Es emocionante! ¡Es estimulante!

Los siguientes son algunos tesoros que he encontrado en el Libro de Mormón.

En 2 Nefi 5, leemos lo que les sucedió en la tierra prometida a Nefi y a los que se fueron con él después de que el Señor le advirtió que se apartara de sus hermanos que tenían la intención de matarlo.

En el versículo 27, Nefi dice: "Y aconteció que vivimos de una manera feliz". Podríamos preguntarnos: ¿Cómo es posible que hayan vivido de una manera feliz si acababan de separarse de los hermanos de Nefi que procuraban matarlos? ¿Acaso fue fácil para ellos dejar el lugar donde habían establecido su hogar y comenzar de nuevo? ¿Sería posible que no tuvieran ningún tipo de tribulación? ¿Podría ser que todo fuera color de rosa para ellos?

La lógica nos indica que lo más probable es que su situación estuvo lejos de ser ideal y que su vida no fue fácil. Sin embargo, vivían *de una manera feliz*. La siguiente pregunta que nos podríamos hacer es: ¿qué *hacían* para vivir de una manera feliz?

La respuesta la encontramos en los versículos del 5 al 26 del mismo capítulo. Esto fue lo que hicieron:

- Seguían el consejo de su profeta Nefi (versículo 6).
- Observaban los mandamientos del Señor en todas las cosas (versículo 10).

- Plantaban semillas, y criaban rebaños, manadas y animales. En otras palabras, eran autosuficientes (versículo 11).
- Estudiaban las Escrituras que habían llevado con ellos (versículo 12).
- Hicieron preparativos para defenderse de sus enemigos que querían destruirlos (versículo 14).
- Aprendieron a construir edificios y a trabajar la madera, el hierro y toda clase de metales y minerales preciosos. Eran industriosos y trabajaban con las manos (versículos 15 y 17).
- Edificaron un templo y en él adoraban a Dios (versículo 16).

En un solo capítulo del Libro de Mormón vemos un ejemplo práctico de trabajo arduo y de tener la determinación de ir hacia adelante en unidad. Aprendemos de la fuerza espiritual de la que podemos gozar al tener fe inquebrantable en Dios. Aprendemos que, si obedecemos los mandamientos y nos preparamos, tanto en lo temporal como en lo espiritual, podemos vivir "de una manera feliz", a pesar de la maldad que nos rodee y de nuestras circunstancias.

Ahora, lo siguiente podría parecer un poco raro: me gusta leer los capítulos de las guerras en el libro de Alma. Espero que no se me tome a mal, porque en realidad no me gusta la violencia ni la guerra. De hecho, cuando era adolescente, en Nicaragua, mi país de origen, tuvimos una época de descontento social. A consecuencia de la violencia que eso suscitó, mi abuelo materno y un tío perdieron la vida. He vivido en carne propia el horror de la violencia y la guerra. Aquel fue un período difícil para mí y mi familia, y a mucha gente le causó dolor y sufrimiento.

La razón por la que me gustan los capítulos de las guerras en el Libro de Mormón es por lo que podemos aprender en ellos. En este momento nos encontramos en una guerra entre el bien y el mal. De hecho, esa guerra estalló en la vida preterrenal, cuando nuestro Padre nos presentó Su plan de salvación y Jesucristo hizo convenio de ser nuestro Salvador. En aquel momento, hicimos uso de nuestro albedrío y decidimos seguir al Padre Celestial y a Jesucristo. Sin embargo, Lucifer, otro hijo de Dios procreado en espíritu, se rebeló contra el plan y "pretendió destruir el albedrío del hombre" (Moisés 4:3), lo cual no ha dejado de intentar.

Un ejemplo de lo que podemos aprender en los capítulos de las guerras se encuentra en el capítulo 50 de Alma, donde se explica la forma en que Moroni y los nefitas se preparaban para la guerra:

- Levantaron montones de tierra alrededor de todas las ciudades, por toda la tierra.
- Sobre esos montones de tierra, colocaron vigas u obras de maderos erigidas a la altura de un hombre, alrededor de las ciudades.
- Sobre esas obras de maderos construyeron estacadas por todos lados; y eran altas y fuertes.
- Erigieron torres más altas que esas estacadas y construyeron resguardos en esas torres.
- Así fue como prepararon fortificaciones alrededor de

todas las ciudades en toda esa tierra, contra la llegada de sus enemigos (véase Alma 50:1–6).

Se prepararon no solo en lo temporal, sino también en lo espiritual. Daban "atención y diligencia […] a la palabra de Dios, la cual les era declarada […] por todos los que habían sido ordenados según el santo orden de Dios" (Alma 49:30).

Cada vez que hacemos cosas pequeñas y sencillas a fin de prepararnos espiritualmente, nos protegemos contra el "enemigo de toda rectitud" (Moroni 9:6). Cada vez que nos arrodillamos y ofrecemos una oración sincera al Padre Celestial, levantamos un montón de tierra alrededor de nuestra fortificación espiritual. Cada vez que leemos las Escrituras, colocamos una obra de maderos en nuestra alma. Cada vez que guardamos el día de reposo y participamos de la Santa Cena, agregamos estacadas a nuestro testimonio. Cada vez que ayunamos, nos liberamos de la opresión (véase Isaías 58:6). Cada vez que nos reunimos en familia o con otros santos y sentimos juntos el Espíritu, nos fortificamos contra la tentación. Cada vez que escuchamos el consejo de los profetas, permitimos que ellos sean los atalayas que están en las torres advirtiéndonos de peligros inminentes.

Uno de los maravillosos aspectos del estudio de las Escrituras es que cobran un significado distinto cada vez que las leemos, ya que nuestras circunstancias y nuestra perspectiva cambian, y, además, constantemente estamos aprendiendo, madurando y llegando a ser una nueva persona. En vista de eso, es posible que cada vez que estudiemos el mismo pasaje de las Escrituras, lo veamos de forma distinta. Sin embargo, hay un aspecto que siempre es seguro y constante: cada vez que dedicamos tiempo a leer las Escrituras, nos acercamos más a Dios, nuestra visión aumenta, nuestro entendimiento se expande y nos volvemos mejores personas.

A fin de recibir revelación del cielo, debemos buscarla en fuentes divinas. Una de esas fuentes es el Libro de Mormón. Si lo estudiamos de forma constante, recibiremos guía, dirección y consuelo. Cuando el profeta Lehi escudriñó las planchas que sus hijos habían llevado de Jerusalén, "fue lleno del Espíritu" (1 Nefi 5:17). Nosotros también podemos ser llenos del Espíritu cada vez que leemos el Libro de Mormón, y el Espíritu nos ofrecerá guía y consuelo.

Estamos en los últimos días y debemos seguir preparándonos y preparando a los demás para la segunda venida del Salvador. Necesitamos ayudar a recoger a los hijos de Dios. El presidente Russell M. Nelson invitó a los jóvenes de la Iglesia a participar activamente en la causa del recogimiento de Israel. Aceptemos la invitación del profeta y seamos parte de "el desafío *más grande*, la causa *más sublime* y la obra *más grandiosa* sobre la tierra"[10], como él lo llamó.

Nefi vio nuestros días en una visión —y la necesidad de un recogimiento— y escribió lo siguiente: "Y aconteció que yo, Nefi, vi que el poder del Cordero de Dios descendió sobre los santos de la iglesia del Cordero y sobre el pueblo del convenio del Señor, que se hallaban dispersados sobre toda la superficie de la tierra; y tenían por armas su rectitud y el poder de Dios en gran gloria" (1 Nefi 14:14).

Testifico que el Libro de Mormón fue escrito "para convencer al judío y al gentil de que Jesús es el Cristo, el Eterno Dios, que se manifiesta a sí mismo a todas las naciones" (portada del Libro de Mormón).

Ruego con humildad que podamos leer el Libro de Mormón y busquemos esa revelación que necesitamos a diario a fin de que podamos "vivir de una manera feliz" en lo individual y como familia, independientemente de nuestras circunstancias; que podamos leerlo buscando las promesas que se hallan en sus páginas, las cuales nos darán la fortaleza para seguir adelante con determinación; y que podamos leerlo para acercarnos al Padre Celestial y a Jesucristo, y así tener la influencia constante del Espíritu Santo a fin de sobrevivir espiritualmente.

PODEMOS ACUDIR AL SALVADOR AL
ATESORAR SU PALABRA Y AL DELEITARNOS
EN EL LIBRO SAGRADO DE ESCRITURAS
QUE SE NOS HA DADO PARA NUESTROS
DÍAS: EL LIBRO DE MORMÓN.

NOTAS

1. Véanse Efesios 1:10; Doctrina y Convenios 112:30; 121:31; 124:41; 128:18, 20; 138:48.
2. Véase Russell M. Nelson, "Revelación para la Iglesia, revelación para nuestras vidas", *Liahona*, mayo de 2018, págs. 93–96.
3. Véase José Smith—Historia 1:8–11.
4. Russell M. Nelson, "Revelación para la Iglesia, revelación para nuestras vidas", *Liahona*, mayo de 2018, pág. 96.
5. Thomas S. Monson, "El poder del Libro de Mormón", *Liahona*, mayo de 2017 pág. 87.
6. Russell M. Nelson, "El Libro de Mormón: ¿Cómo sería su vida sin él?", *Liahona*, noviembre de 2017, pág. 62.
7. Russell M. Nelson, "Trabajemos hoy en la obra", *Liahona*, mayo de 2018, págs. 118–119.
8. "Fe", Temas del Evangelio, ChurchofJesusChrist.org/topics?lang=spa.
9. Véase *Predicad Mi Evangelio: Una guía para el servicio misional*, 2018, ChurchofJesusChrist.org/study/manual/preach-my-gospel-a-guide-to-missionary-service?lang=spa.
10. Russell M. Nelson, "Juventud de Israel", (devocional mundial para los jóvenes, 3 de junio de 2018), ChurchofJesusChrist.org/study/broadcasts/worldwide-devotional-for-young-adults/2018/06/hope-of-israel?lang=spa.

MILAGROS DE SANACIÓN MEDIANTE LAS ORDENANZAS DEL TEMPLO

Sabemos que la obra y la gloria de Dios es "[l]levar a cabo la inmortalidad y la vida eterna del hombre" (Moisés 1:39). Por causa de la Caída, todos nos encontramos "en un estado perdido y caído" (1 Nefi 10:6). El presidente Russell M. Nelson enseñó: "Todos estamos sujetos al pesar y al sufrimiento, a las enfermedades y a la muerte […]. Las dolencias provienen tanto de causas físicas como de causas espirituales". Después dijo: "La fe, el arrepentimiento, el bautismo, el testimonio y la conversión perdurable conducen al poder sanador del Señor"[1].

Todos los hijos de Dios, quienes sean responsables de sus actos, independientemente del lugar, de la época y de las circunstancias en las que vivan o hayan vivido, necesitan recibir la oportunidad de ejercer fe en Jesucristo, de arrepentirse y de aceptar Su evangelio, en ambos lados del velo. Cada uno de los hijos de Dios necesita ser sanado espiritualmente y, como Sus discípulos, hemos sido llamados para hacer eso posible.

En Mosíah 27:25–26 dice: "… todo el género humano, sí, hombres y mujeres, toda nación, tribu, lengua y pueblo, deb[en] nacer otra vez; sí, nacer de Dios, ser cambiados de su estado carnal y caído, a un estado de rectitud, siendo redimidos por Dios, convirtiéndose en sus hijos e hijas; y así llegan a ser nuevas criaturas; y a menos que hagan esto, de ningún modo pueden heredar el reino de Dios".

Gracias al sacrificio expiatorio del Salvador, las ordenanzas de salvación del templo nos permiten a nosotros y a nuestros antepasados nacer otra vez, ser cambiados a un estado de rectitud, ser redimidos por Dios y ser nuevas criaturas.

Cuando los escribas y los fariseos murmuraron en contra de Sus discípulos, Jesucristo les respondió: "Los que están sanos no necesitan médico, sino los que están enfermos. No he venido a llamar a justos, sino a pecadores al arrepentimiento" (Lucas 5:31–32). Para mí, esto significa que todos tenemos necesidad de arrepentirnos y de sanar, ya que todos hemos cometido errores, todos hemos pasado por situaciones difíciles y todos hemos sufrido. Todos necesitamos el bálsamo sanador que ofrece el Salvador.

El presidente James E. Faust declaró: "Cristo es el gran Médico que se levantó de entre los muertos 'con sanidad en sus alas' (2 Nefi 25:13), mientras que es por medio del Consolador que sanamos.

"El Señor ha provisto muchas vías por las cuales podemos

recibir esta influencia sanadora [...]. [Él ha] restaurado la obra del templo a la tierra, ya que es una parte importante de la obra de salvación tanto por los vivos como por los muertos. Los templos proveen un santuario al que podemos acudir para dejar a un lado muchas de las preocupaciones del mundo. Nuestros templos son lugares de paz y tranquilidad. En estos recintos sagrados, Dios 'sana a los quebrantados de corazón, y venda sus heridas' [Salmo 147:3]"[2].

Escuchamos relatos de milagros de sanación que ocurren en los santos templos de todas partes. Escuchamos de miembros fieles que asisten al templo en autobuses y pasan todo el día y la tarde efectuando ordenanzas de salvación a favor de sus antepasados. Escuchamos de dedicados jóvenes que asisten al templo por la mañana antes de ir a la escuela para efectuar bautismos y confirmaciones por sus ancestros, y ayudar con distintos aspectos de esas sagradas ordenanzas. Escuchamos de grupos de jovencitas y jovencitos que van al templo cada semana en transporte público después de la escuela para ofrecer a sus antepasados la oportunidad de nacer espiritualmente otra vez. Escuchamos de familias que viajan en embarcaciones durante horas para asistir al templo y recibir sus propias ordenanzas de salvación en el templo, a fin de que, por medio de la expiación de Jesucristo, puedan ser cambiadas a un estado de rectitud. Escuchamos de miembros y familias que encuentran nombres de sus antepasados fallecidos en el día de reposo y después los llevan al templo para dar a esos familiares la oportunidad de ser redimidos por Dios. Escuchamos de niños y niñas de 11 años que están ansiosos por ir al templo, y que tienen que pararse en el último escalón de la pila bautismal porque el agua es demasiado profunda, todo para dar a sus antepasados la oportunidad de llegar a ser nuevas criaturas.

Si nos ponemos a pensar, todos vamos al templo con el fin de ser sanados espiritualmente y de dar a los que están del otro lado del velo la oportunidad de también ser sanados. Si de sanar se trata, todos necesitamos al Salvador desesperadamente. Quisiera ilustrar eso con el relato de dos de mis antepasados.

Mi abuela materna, Isabel Blanco, nació en Potosí, Nicaragua. Por lo que recuerdo, era una mujer cariñosa, trabajadora y de mucha fe. Cuando yo era niña, ella sembró en mi tierno corazón la semilla de la fe cada vez que la miraba orar a Dios con fervor y me llevaba a misa los domingos para adorar a Jesús. Sin embargo, ella no tuvo una vida fácil. Entre muchas otras cosas qué hizo, cuando era joven trabajaba de empleada doméstica para una familia de recursos. Como era tristemente común, su empleador la embarazó y, cuando ya no podía ocultar su embarazo, la despidieron.

De ese embarazo nació mi padre Noel, y aunque Potosí era un pueblo pequeño y todos ahí, incluso Noel, sabían quién era su papá, Noel nunca tuvo ningún contacto directo ni ninguna relación con él.

Isabel nunca se casó y tuvo otros dos hijos fuera del matrimonio. Después de un tiempo, ella y sus tres hijos se mudaron a

Managua, la capital del país, en busca de mejores oportunidades de empleo y educación.

En sus últimos años de adolescencia, Noel se volvió adicto al alcohol. Con el tiempo, conoció a mi mamá Delbi Cardoza, se casó con ella y tuvieron cuatro hijos. Con el paso de los años, su alcoholismo comenzó a perjudicar su matrimonio. Después de irse a vivir a San Francisco, California, y cuando ambos tenían más de 50 años, se separaron. Lamentablemente, unos años después, mi padre se suicidó.

Cuando él falleció, mi mamá y yo ya éramos miembros de La Iglesia de Jesucristo de los Santos de los Últimos Días. Unos años después de su muerte, se efectuaron todas las ordenanzas del templo por representante a favor de él, excepto una: la ordenanza de sellamiento. En ese entonces, yo no me atrevía a preguntarle a mi mamá si quería sellarse a él, porque sabía lo tensa que había sido la relación entre ellos.

Entonces, sucedió un milagro. Mi mamá tuvo un sueño en el que vio a su esposo Noel fuera de la puerta de la cocina de su casa en Managua, extendiendo la mano hacia ella e invitándola a ir con él. Ella se despertó con un sentimiento dulce en el corazón. No mucho tiempo después, un día me llamó y con calma me dijo: "El sábado me voy a sellar a tu papa. Si quieres puedes ir". Le respondí con emoción: "¡Por supuesto que quiero estar ahí!". Después de que hablamos, con alegría caí en la cuenta de que yo también podía sellarme a ellos e hice los arreglos correspondientes.

Así que una gloriosa mañana de sábado, mi madre, mi esposo, nuestro hijo y yo nos arrodillamos en el altar del sagrado templo y efectuamos las ordenanzas selladoras personales y por representante que nos dieron a mis padres, a mi hermano fallecido y a mí la oportunidad de estar juntos para siempre. En ese momento sagrado, todos los malos sentimientos, los dolores y los disgustos quedaron en el olvido. Todos sentimos el reconfortante bálsamo sanador que nuestro Salvador Jesucristo nos ofrece por medio de Su expiación, en ambos lados del velo.

Años después, tuve un sueño en el que vi a mi padre Noel en lo que parecía un púlpito de una de nuestras capillas. Estaba de camisa blanca y corbata ofreciendo un mensaje inspirador. En el sueño, percibí que él era un experimentado líder de la Iglesia. No sé exactamente cuál es el significado del sueño, pero me da la esperanza de que, tal vez, él haya aceptado el evangelio de Jesucristo en el mundo de los espíritus.

En su momento, también efectuamos la obra del templo por mi abuela Isabel, excepto la ordenanza del sellamiento a un cónyuge, ya que ella no se casó en vida. Pensemos en esto: una mujer como Isabel, a quien los hombres no trataron con respeto y que tuvo que afrontar tanta tribulación en su vida, puede recibir del otro lado del velo la oportunidad de ejercer el albedrío y hacer un convenio sagrado con Dios mediante una ordenanza por representante en el templo. Ella, al igual que todos nosotros, necesita aumentar su fe, necesita arrepentirse, necesita amor, necesita santificación; en pocas palabras, necesita sanar.

Ahora, al mirar atrás, me doy cuenta de que, a pesar de que Noel tuvo una infancia difícil y una adicción nociva, el amor que sentía por sus hijos era más fuerte que sus debilidades. Cuando estaba con nosotros, sus mejores cualidades salían a flote. Siempre nos trataba bien y no recuerdo ni una sola ocasión en la que haya perdido los estribos con sus hijos. Gracias a que Dios es misericordioso, Noel también tiene la oportunidad de ejercer fe, de arrepentirse y aceptar a Jesucristo como su Redentor mediante las ordenanzas de salvación efectuadas en el santo templo. Noel, al igual que todos nosotros, tiene necesidad de sanar.

Estos son solo dos ejemplos de las bendiciones eternas de sanidad que se ofrecen a personas y familias en todos los templos del Señor alrededor del mundo. Como enseñó el presidente Nelson, el motivo por el cual tenemos templos es para "invita[r] a todos los hijos de Dios en ambos lados del velo a venir a su Salvador, recibir las bendiciones del santo templo, tener gozo duradero y calificar para la vida eterna"[3].

Cada vez que pienso en todo lo que tuvo que pasar para que Isabel y Noel recibieran esa dádiva eterna, me doy cuenta de que es un milagro hecho posible por un Padre Celestial y un Salvador amorosos que nos aman con un amor perfecto, y que nos han llamado a cada uno de nosotros para que ayudemos en la obra y la gloria de Dios.

El élder Dale G. Renlund enseñó: "La obra del templo y de historia familiar aport[a] el poder de sanar lo que requ[iere] ser sanado [...]. Dios, con Su capacidad infinita, sella y sana a personas y familias a pesar de las tragedias, pérdidas y adversidades"[4].

Al referirse al recogimiento de Israel, el presidente Nelson dijo: "Cuando hablamos del recogimiento, simplemente estamos diciendo esta verdad fundamental: cada uno de los hijos de nuestro Padre Celestial, a ambos lados del velo, merece escuchar el mensaje del evangelio restaurado de Jesucristo. Ellos deciden por sí mismos si quieren saber más". Después explicó: "*Cada vez* que hacen *algo* que ayuda a *cualquiera*, a ambos lados del velo, a dar un paso hacia hacer convenios con Dios y recibir sus ordenanzas esenciales del bautismo y del templo, están ayudando a recoger a Israel. Es así de sencillo"[5].

No sé con certeza si mi abuelita Isabel, mi papa Noel y el resto de mis antepasados, por quienes la obra del templo ya se ha efectuado, han aceptado el evangelio de Jesucristo en el mundo de los espíritus. Sin embargo, puedo tener esperanza, puedo ejercer la fe, puedo hacer y guardar convenios con Dios, y puedo vivir la vida de una manera que me permita estar con ellos "en un estado de felicidad que no tiene fin" (Mormón 7:7). En cuanto llegue al otro lado del velo, si ellos aún no han aceptado el evangelio de Jesucristo, ¡me aseguraré de enseñárselos! Ansío darles un abrazo, decirles cuánto los quiero, tener esa conversación de corazón a corazón que nunca tuve con ellos cuando estaban con vida y testificarles que "Jesús es el Cristo, el Eterno Dios" (portada del Libro de Mormón).

En ocasiones, el hombre y la mujer natural que hay en nosotros nos hace pensar que, cuando se nos extiende un llamamiento en la Iglesia, se nos llama a "reparar" a las demás personas. Como discípulos de Jesucristo, Él no nos llama para que seamos "reparadores" de los demás, ni para sermonearlos o menospreciarlos. En realidad, hemos sido llamados a inspirar, edificar e invitar a los demás, a ser pescadores de personas, de almas, para que ellas reciban la oportunidad de ser sanadas espiritualmente por Jesucristo, nuestro Salvador y Redentor.

En Isaías 61 se encuentran unas palabras del Señor, las cuales Él citó al comenzar Su ministerio en Jerusalén (véase Lucas 4:18–19). En los versículos del 1 al 4, Él declara: "El espíritu de Jehová el Señor está sobre mí, porque me ha ungido Jehová para proclamar buenas nuevas a los mansos; me ha enviado a vendar a los quebrantados de corazón, a proclamar libertad a los cautivos y a los prisioneros apertura de la cárcel; a proclamar el año de la buena voluntad de Jehová y el día de la venganza del Dios nuestro; a consolar a todos los que lloran; a ordenar que a los que están de duelo en Sion se les dé gloria en lugar de ceniza, aceite de gozo en lugar de luto, manto de alegría en lugar de espíritu apesadumbrado; y serán llamados árboles de justicia, plantío de Jehová, para que él sea glorificado. Y reedificarán las ruinas antiguas, y levantarán lo que antes fue desolado y restaurarán las ciudades asoladas, los asolamientos de muchas generaciones".

A eso se nos ha llamado, a "reedifica[r] las ruinas antiguas", a "levanta[r] lo que antes fue desolado", a "restaura[r] las ciudades asoladas".

El presidente Nelson enseñó: "El verdadero poder para sanar […] viene de Dios"[6]. También nos ha brindado este consuelo: "La dádiva de la Resurrección es el supremo acto de sanidad del Señor. Gracias a Él, todo cuerpo será restaurado a su debida y perfecta forma. Gracias a Él, ninguna afección carece de esperanzas. Gracias a Él, mejores tiempos nos esperan más adelante, tanto en esta vida como en la vida venidera. El verdadero regocijo nos aguarda a todos y a cada uno […] una vez que hayamos pasado esta vida de pesares"[7].

Testifico que el Padre Celestial nos ama a cada uno de nosotros, tanto así que ha preparado "un camino"[8] para que podamos ser sanados física y espiritualmente conforme ejerzamos fe en Jesucristo, hagamos y guardemos nuestros convenios con Dios, y sigamos Sus mandamientos. Testifico que Cristo vino a la tierra "a sanar a los quebrantados de corazón, a pregonar libertad a los cautivos" (Lucas 4:18), para que todos nosotros podamos "lleg[ar] a ser santos, sin mancha" (Moroni 10:33).

PODEMOS ACUDIR AL SALVADOR
AL HACER CONVENIOS EN SU
SANTA CASA PROCURANDO SER
RESTAURADOS Y SANADOS JUNTO
CON NUESTROS ANTEPASADOS.

NOTAS

1. Russell M. Nelson, "Jesucristo: El Maestro Sanador", *Liahona*, noviembre de 2005, págs. 85–86.
2. James E. Faust, "Sanidad espiritual", *Liahona*, julio de 1992, pág. 7.
3. Russell M. Nelson, "Trabajemos hoy en la obra", *Liahona*, mayo de 2018, págs. 118–119.
4. Dale G. Renlund, "La obra del templo y de historia familiar: Sellamiento y sanación", *Liahona*, mayo de 2018, págs. 46–48.
5. Russell M. Nelson, "Juventud de Israel", (devocional mundial para los jóvenes, 3 de junio de 2018), ChurchofJesusChrist.org/study/broadcasts/worldwide-devotional-for-young-adults/2018/06/hope-of-israel?lang=spa.
6. Sheri Dew, *Insights from a Prophet's Life: Russell M. Nelson*, Salt Lake City: Deseret Book, 2019, pág. 150.
7. Russell M. Nelson, "Jesucristo: El Maestro Sanador", *Liahona*, noviembre de 2005, págs. 85–86.
8. Véanse Isaías 42:16; 51:10; 1 Nefi 3:7; 9:6; 17:41; 22:20; 2 Nefi 8:10; 9:10; Éter 12:8; Doctrina y Convenios 132:50.

FUNDAMENTAL PARA EL PLAN DEL CREADOR

Todos pertenecemos a la familia de Dios debido a que cada uno de nosotros es hijo o hija de padres celestiales. Antes de venir a la tierra, vivimos con Ellos y todos tenemos el potencial de llegar a ser como Ellos son. Tal como lo dijo el presidente Dallin H. Oaks del Cuórum de los Doce Apóstoles: "Nuestra teología empieza con padres eternos; nuestra mayor aspiración es llegar a ser como ellos"[1]. Nacimos para henchir la tierra con bondad, para ejercer justo dominio sobre los abundantes recursos que hemos recibido de Dios y para ser obedientes a Sus leyes divinas (véase Abraham 4:26–31).

Cada uno de nosotros también pertenece a una familia terrenal. Independientemente de nuestras circunstancias, todos tenemos la responsabilidad de fortalecer a cada uno de los integrantes de esa familia.

El matrimonio es ordenado por Dios; es fundamental para el plan del Creador y es el medio que Él ha establecido para que nazcamos dentro de una familia y se nos enseñe a andar en Sus sendas. Si bien no todos llegan a tener la oportunidad de casarse en esta vida, el matrimonio aún debe ser parte de nuestras aspiraciones, a fin de que se puedan lograr los propósitos eternos de Dios.

El presidente Henry B. Eyring dijo lo siguiente a las mujeres de la Iglesia: "[Ustedes] no pueden saber cuándo, ni durante cuánto tiempo, su misión individual se centrará en el servicio, en llamamientos como el de madre, líder o hermana ministrante. El Señor, por amor, no nos deja a nosotros la elección del momento, la duración ni la secuencia de nuestras asignaciones. Pese a ello, gracias a las Escrituras y a los profetas vivientes, ustedes saben que todas esas asignaciones llegarán, en esta vida o en la venidera, a todas las hijas de Dios. Y todas ellas son la preparación para la vida eterna en familias amorosas: 'el mayor de todos los dones de Dios' [Doctrina y Convenios 14:7]"[2].

Si bien no tenemos control sobre en qué momento nos casaremos, sí podemos prepararnos para ello, a sabiendas de que, tarde o temprano, ese día llegará, ya sea en esta vida o en la venidera. En alguna ocasión escuché que *encontrar* a la persona ideal no es tan importante como *llegar a ser* la persona ideal para alguien y para los que nos rodean. A eso podríamos agregar que, como discípulos de Jesucristo, nuestro mayor deseo debe ser seguir Su ejemplo de amor y "[permitirle que] nos transforme en la mejor versión de nosotros"[3].

El élder Jeffrey R. Holland enseñó: "… en un mundo de tantos talentos y suertes que no siempre podemos controlar, me parece que lo que nos hace más atractivos son las cualidades que *sí* podemos controlar, tales como el ser atentos y pacientes, el hablar con amabilidad y el deleitarnos en los logros ajenos. No nos cuesta *nada* tener esos gestos, pero para quien los recibe, pueden significar *todo*"[4].

Una de las decisiones más importantes que tomamos en la vida es la de elegir a la persona con la que nos casaremos. Muchas veces, elaboramos largas listas de atributos que deseamos que tenga la persona con la que pasaremos el resto de nuestra vida terrenal, con la esperanza de que sea por la eternidad. Lo cierto es que, al momento de casarnos, ni esa persona ni nosotros somos perfectos. Ambos seguimos trabajando en nuestro perfeccionamiento y en la relación que cultivamos con Dios y entre nosotros. La tarea de llegar a ser uno al formar una familia y enfrentar juntos la vida depende de la pareja.

Cuando me uní a la Iglesia, yo estaba segura de que no me volvería a casar, ya que las heridas de mi primer matrimonio aún estaban recientes y la idea de volver a casarme ni siquiera me pasaba por la mente.

Unos cuantos meses después de bautizarme, recibí el llamamiento de ser maestra de la Escuela Dominical para dar la clase de

Principios del Evangelio. Dado que tenía poco tiempo en la Iglesia, la idea me llenaba de pánico, pero el consejero de la presidencia de la rama que me entrevistó me dijo: "No se preocupe; en la clase siempre habrá alguien que le ayude". A la hora de la verdad, resultó ser una enorme experiencia de aprendizaje debido a que hacía un sincero esfuerzo por desempeñar ese llamamiento lo mejor posible.

Un domingo, mientras impartía una de mis clases, comenzó a asistir un muchacho; su nombre era Carlos Aburto. Era de México y más o menos de mi edad. Él estaba tratando de regresar a la Iglesia después de años de no asistir a ella. En un principio no cruzábamos palabras, pero con el transcurso de los meses nos hicimos amigos.

Alrededor de un año después de que conocí a Carlos, me fui de California para irme a vivir a Utah. En Utah tenía parientes que me animaron a mudarme junto con mi familia. Yo sentía que ahí habría un mejor ambiente para criar a mi hijo.

Dos años después de habernos mudado, fui a California para pasar la Navidad con mi hermana. Durante esa visita, sentí el deseo de conversar con mi amigo Carlos para ponernos al día de cómo nos estaba yendo en la vida. Al final, terminamos conversando durante horas y yo sentí como que estaba con mi mejor amigo. Durante esa charla nos dimos cuenta de que teníamos muchas cosas en común y que nos gustábamos, así que comenzamos una relación sentimental. Cinco meses después, nos sellamos en el Templo Jordan River junto con mi hijo Xavier, quien en ese entonces tenía seis años. Con el tiempo, tuvimos otros dos hijos, Elena y Carlos Enrique.

A veces me parece que en la sociedad idealizamos demasiado la idea de salir con personas y de casarnos; tanto así que para muchos de nuestros jóvenes adultos resulta difícil navegar por la vida haciendo su mejor esfuerzo y, al mismo tiempo, prepararse para casarse por las eternidades. En ocasiones, también idealizamos la idea de que en el momento en que conozcamos a la persona con la que nos casaremos sabremos de inmediato que él o ella es nuestra media naranja.

Sin embargo, muchos de nosotros no nos enamoramos al instante y ni siquiera nos imaginamos que nos casaríamos con alguien sino hasta años después de conocer a la persona. En nuestro caso, Carlos y yo nos casamos tres años después de habernos conocido. Simplemente no estábamos listos para casarnos antes. Necesitábamos madurar y aprender, cada uno por su lado, antes de darnos cuenta de que podíamos formar una familia juntos.

A todos aquellos que se encuentren en el proceso de encontrar a quién será su compañero o compañera por las eternidades, les diría que no se preocupen tanto por las reglas de la sociedad que aún no se han escrito. Parece ser que en la actualidad las relaciones se rigen por esas reglas. Muchas veces nos vemos forzados a definir la relación que tenemos con alguien con demasiada prontitud, cuando podríamos mostrar más paciencia y darnos tiempo para conocernos mejor. No deberíamos estresarnos por seguir maneras o guiones específicos en cuanto a cómo suponemos que deben marchar las cosas. No hay que cavilar demasiado sobre el hecho de salir con alguien. En lo que respecta a las relaciones personales, no hay un solo molde ni patrón que se haya establecido. El Espíritu Santo no se basa en un guion. En ocasiones, simplemente nos susurra ideas como: "Ya es hora de irse a casa", y más vale que escuchemos esas impresiones que no se basan en un guion y que van dirigidas exclusivamente a nosotros. Si nos estamos esforzando sinceramente por seguir leyes divinas y por tratar a los demás con respeto, el Espíritu Santo nos guiará y sabremos qué hacer.

A veces creemos que tenemos que seguir conversaciones mecánicas y superficiales como en los videojuegos. Si caemos en eso, entonces la interacción resulta forzada. Si somos genuinos y tratamos a los demás como si ya fueran nuestros amigos, la conversación será más natural. Entonces, podremos enfocarnos en la otra persona y no en nosotros mismos. Algunos buenos hábitos son hacer preguntas que continúen la conversación, escuchar con el deseo de conocer a la persona y expresar nuestros sentimientos y puntos de vista. También es importante mostrar un interés sincero y, sin darnos cuenta, habremos forjado una nueva amistad y llegamos a ser mejores amigos para los demás.

Si nuestra amistad con una persona del sexo opuesto se convierte en romance y nos enamoramos, ¡pues tomémoslo como algo maravilloso! No debemos de tener temor de enamorarnos ni de casarnos. El matrimonio eterno es una parte crucial del Plan de

Salvación. Es el principio de una familia eterna y el comienzo de un trayecto en el que aprendemos a amar a Dios y a nuestro compañero eterno de una forma divina.

Para mí, Carlos ha sido una maravillosa bendición; lo considero un milagro en mi vida. Él ha sido un buen padre para mis tres hijos; es temeroso de Dios y se esfuerza por actuar como un discípulo de Cristo. Nuestro matrimonio tiene como cimientos nuestra fe en el Evangelio y nuestro testimonio de él. Juntos, hemos tratado de servir al Señor de la manera más fiel posible dentro de nuestra capacidad.

Al mirar atrás, puedo ver que nuestra vida juntos no ha sido fácil, ya que hemos navegado a través de la a veces tediosa rutina de la vida diaria. Cuanto nuestros tres hijos eran pequeños, Carlos y yo salíamos a trabajar todos los días, de modo que teníamos que hacer malabarismos con las responsabilidades de criar a nuestros hijos, de servir en llamamientos de la Iglesia, de atender las necesidades de la familia y de cuidar de nuestro hogar a fin de que fuera un refugio en el cual pudiera morar el Espíritu.

Recuerdo la frustración que sentía muchas veces en las que llegaba de trabajar, sacaba un trozo de carne congelada, lo miraba por unos instantes y pensaba: "¿Y qué se supone que tengo que hacer con esto? ¿Cómo voy a preparar una comida decente con este pedazo de hielo?".

En otras ocasiones, apenas nos daba tiempo de preparar rápidamente unos sándwiches de ensalada de atún para la cena, para después ir a buscar a jóvenes de nuestro barrio y aún llegar a tiempo a una actividad, un partido de fútbol, una clase de piano o cosas por el estilo.

Con todo, en nuestra vida familiar ha habido muchas constantes que me parece que nos han ayudado conforme nos hemos esforzado por criar a nuestra familia en la verdad y la rectitud. Una de ellas ha sido nuestro empeño por sentarnos a la mesa con nuestros hijos con la mayor regularidad posible. El hecho de reunirnos a la hora de la cena alrededor de nuestro sagrado comedor para dar gracias a Dios por Sus muchas bendiciones y pedirle Su protección y guía ha sido como un peldaño que subimos a diario en nuestro trayecto. Las conversaciones en cuanto a lo que sucedió durante el día, las reflexiones sobre las bendiciones que recibimos a diario, los alimentos que nos fortalecen el cuerpo y deleitan el alma, el sentido del humor que nos permite relajarnos y la seguridad que nos brinda el amor que sentimos el uno por el otro, son como un pegamento que nos mantiene arraigados al evangelio de Jesucristo.

Cuando nuestros hijos estaban pequeños, tratábamos de ser diligentes con la lectura de las Escrituras y la noche de hogar, aunque nuestros esfuerzos no eran perfectamente constantes; de hecho, en ocasiones los resultados eran desastrosos. Nos llegó a tomar más de un año leer todo el Libro de Mormón juntos, ya que solo leíamos algunos versículos a la vez.

Por otra parte, asistir al templo en pareja era toda una proeza, pero hallábamos consuelo en aquel pasaje que dice: "Todo tiene su tiempo, y todo lo que se quiere debajo del cielo tiene su hora" (Eclesiastés 3:1).

En verdad tratamos de enseñar a nuestros hijos en cuanto al gozo que se siente al hacer un esfuerzo sincero por seguir los mandamientos de Dios. Por ejemplo, el pago del diezmo siempre fue importante para nosotros y quisimos que nuestros hijos crecieran con el deseo de obedecer esa ley divina. Cuando ellos aún no podían entender los porcentajes, todo lo que hacíamos era darles un dólar y ayudarles a llenar el formulario de diezmos. También les explicábamos que el dinero que dábamos de diezmo se destinaba a construir capillas y templos, entre otras cosas.

Cuando nuestro hijo menor, Carlos Enrique, tenía unos 15 años, un día me comentó: "Al pagar el diezmo de niño, tenía la certeza de que cada vez que daba un dólar, con ese dólar se construía una capilla entera. ¿Acaso no te parece una tontería?".

Su comentario realmente me llegó al corazón y le repliqué: "¡Me parece algo muy lindo! ¿Te imaginabas las capillas en la mente?".

Su respuesta fue: "¡Sí! ¡Eran muy bonitas y eran muchísimas!".

Hay tanto que podemos aprender del corazón de los niños: la alegría que sienten con la simplicidad, el deseo que tienen de darlo todo y de vivir a plenitud cada instante son cosas que los adultos necesitamos sentir más a menudo. Jesucristo dijo: "De cierto os digo que si no os volvéis y os hacéis como niños, no entraréis en el reino de los cielos" (Mateo 18:3).

En nuestra vida familiar, todos podemos ser como niños y hacer las cosas pequeñas y sencillas que nos acerquen a Dios, con la confianza y la certeza de que sucederán cosas grandiosas mediante la gracia de Cristo.

Al mirar atrás, siento el deseo de haber hecho algunas cosas de manera distinta con nuestros hijos, pero no podemos juzgar nuestros errores del pasado con el conocimiento con el que contamos actualmente, solo podemos aprender de lo que ya sucedió y tomar la determinación de ser mejores hoy de lo que éramos ayer.

Jean B. Bingham, Presidenta General de la Sociedad de Socorro, enseñó: "La unidad es esencial para la obra divina que tenemos el privilegio de hacer y que se nos llama a hacer, pero no sucede solo porque sí. Se necesita esfuerzo y tiempo para realmente deliberar juntos en consejo —escucharse unos a otros, comprender los puntos de vista de los demás y compartir experiencias—, pero el proceso da como resultado decisiones más inspiradas. Ya sea en el hogar o en nuestras responsabilidades de la Iglesia, la forma más eficaz de lograr nuestro potencial divino es trabajar juntos, bendecidos por el poder y la autoridad del sacerdocio en nuestras funciones diferentes y a la vez complementarias"[5].

Sean cuales sean nuestras circunstancias, el hogar es el laboratorio en el que podemos poner en práctica las verdades en las que creemos y la doctrina que acatamos. Es el lugar en el que podemos amar, perdonar, pedir perdón, aprender, madurar, progresar y alcanzar nuestro potencial divino.

PODEMOS ACUDIR AL SALVADOR EN NUESTRO AFÁN DE CULTIVAR Y FORTALECER NUESTRAS RELACIONES FAMILIARES.

NOTAS

1. Dallin H. Oaks, "La Apostasía y la Restauración", *Liahona*, julio de 1995, pág. 98.
2. Henry B. Eyring, "Mujeres del convenio en colaboración con Dios", *Liahona*, noviembre de 2019, pág. 71.
3. Russell M. Nelson, "Podemos actuar mejor y ser mejores", *Liahona*, mayo de 2019, pág. 67.
4. Jeffrey R. Holland, "How do I love thee?", *New Era*, octubre de 2003, pág. 6.
5. Jean B. Bingham, "Unidos para llevar a cabo la obra de Dios", *Liahona*, mayo de 2020, pág. 62.

GRANDE SERÁ
LA PAZ DE TUS HIJOS

Hace años, a mi esposo Carlos y a mí se nos llamó para que impartiéramos el curso de preparación para el templo en nuestro barrio. Como parte de ello, el obispo nos pidió que enseñáramos a los jóvenes y las jovencitas de 17 años sobre la preparación para entrar en el templo. Al presentar la primera lección a nuestros ansiosos alumnos, les mencionamos que en el templo aprendemos sobre el gran Plan de Salvación. Uno de los muchachos, con expresión de alivio en el rostro, exclamó: "¡¿De veras?! ¿Es eso lo que se aprende en el templo? ¡Qué alivio!".

Su reacción me impresionó profundamente y me hizo preguntarme: ¿acaso alguna vez les dijimos Carlos y yo a nuestros hijos que en el templo aprendemos sobre el Plan de Salvación? Sinceramente no podía recordar qué les dijimos y qué no les dijimos en cuanto al templo. Lo que sí sabía es que tal vez no les dijimos lo suficiente y que anhelaba tener una segunda oportunidad. Entonces caí en la cuenta: *¡Un momento! ¡Sí tengo una segunda oportunidad!* En Su infinita misericordia, ¡el Señor constantemente nos da segundas oportunidades! ¡Tendré una segunda y una tercera oportunidad, y muchas más, con cada uno de mis nietos! Lo mejor es que constantemente tengo nuevas oportunidades, no solo con mi familia, sino también con "la nueva generación"[1], con cualquier persona joven que se encuentre en mi esfera de influencia.

Después de haber tenido esa experiencia, tuve la oportunidad de visitar con mi familia el Templo de París, Francia. Unos misioneros nos recibieron en el centro de visitantes. Entre otras cosas, nos mostraron una hermosa maqueta del templo y nos dieron la misma explicación que daban a todos los visitantes, incluyendo a aquellos de otras religiones. De manera sencilla, pero poderosa y profunda, nos hablaron de las distintas salas del templo y de lo que sucede en cada una de ellas.

Sin emplear las palabras exactas que se dicen en el templo y sin revelar nada de la información sagrada que los que hemos sido investidos en el templo hemos prometido no revelar, los misioneros nos dieron un magnífico y amplio resumen de las cosas que hacemos en el templo que nos instruyen y nos brindan poder. Entre otros detalles, nos dijeron que el templo es un lugar donde aprendemos que Dios tiene un plan y que nosotros somos parte de él. También mencionaron que en la Casa del Señor hacemos promesas específicas de guardar las leyes de Dios y de esforzarnos por llegar a ser como Él. Describieron maravillosamente el gozo que podemos sentir si guardamos esas promesas. Nos dijeron que Dios nos promete bendiciones a cambio y que Él siempre cumple Sus promesas.

Entonces, me volví a preguntar: *¿Por qué nunca se me ha ocurrido enseñar a mis hijos sobre el templo de esa profunda y sencilla manera? ¿Por qué les he negado la bendición de escuchar más de mi persona en cuanto a las maravillosas verdades que he aprendido y las importantes promesas que le hecho a Dios en Su Casa a lo largo de los años?*

Cuando Jesucristo visitó a los nefitas en el continente americano, les dijo: "Y todos tus hijos serán instruidos por el Señor; y grande será la paz de tus hijos" (3 Nefi 22:13).

Si el Señor instruye a nuestros hijos, ellos sienten gran paz, la paz que solo viene de Él. El Señor dijo: "La paz os dejo, mi paz os doy; yo no os la doy como el mundo la da" (Juan 14:27). Para que nuestros hijos tengan gran paz, necesitan ser instruidos por el Señor, necesitan saber de Su paz, de Su expiación infinita y de Sus divinos dones, gracia y misericordia de toda forma posible.

He sentido en el corazón que cuando el Señor dice "tus hijos", o cada vez que nuestros profetas, videntes y reveladores hablan acerca de "nuestros hijos", no solo se refieren a aquellos con los que tenemos lazos sanguíneos, lazos por matrimonio o lazos por adopción. Más bien, creo que se refieren a todos nuestros hijos; en otras palabras, a la nueva generación. Se refieren a todos los niños, los adolescentes y los jóvenes adultos: a cualquiera en esos grupos que esté dentro de nuestro círculo de influencia. Quizás sea cualquier persona que sea menor que nosotros o quizás también abarque a quienes son mayores, porque todos pertenecemos a la familia de Dios, todos necesitamos ser instruidos por el Señor y todos necesitamos sentir gran paz.

Lamentablemente, algunas almas jóvenes de la nueva generación se están alejando del evangelio de Jesucristo y algunas de ellas no están sintiendo la paz que proviene del Señor. Son bombardeadas con infinidad de información en internet, las redes sociales, la música y muchos otros medios. Escuchan y leen comentarios negativos, tergiversaciones, y descripciones irrespetuosas y degradantes de lo que sucede en el interior de las paredes sagradas de nuestros templos y de muchos otros aspectos del evangelio de Jesucristo. Para algunos, el hecho de ir al templo por primera vez llega a ser una experiencia incómoda, cuando debería ser positiva. Ellos deberían tener el deseo de regresar una y otra vez, pero por todos esos motivos, su testimonio y su fe en Jesucristo se están debilitando. Algunos tienen preguntas y no reciben las respuestas por medio de las fuentes adecuadas.

Si el templo es esa fuente de verdad, guía, revelación y paz para aquellos que hemos sido "investidos con poder de lo alto" (D. y C. 38:32), ¿podríamos tal vez compartir más de ese caudal de paz y fortaleza con nuestros hijos? Si llevar a las personas al templo es la máxima meta de todo lo que hacemos en La Iglesia de Jesucristo de los Santos de los Últimos Días; si sellar familias a la familia de Dios es nuestra mayor motivación; si ayudar a todos los hijos de

Dios a recibir las bendiciones prometidas a Abraham es nuestra mayor aspiración; si ayudarnos mutuamente a prepararnos para estar en la presencia de Dios es nuestro mayor anhelo; ¿sería posible que el tema del templo se tocara con más frecuencia en nuestras conversaciones diarias con la nueva generación?

Con toda la protección que hemos dado a las cosas sagradas que aprendemos, sentimos y hacemos en el templo, me pregunto si hemos llegado a un extremo, a un silencio casi total que nos impide enseñar a *todos nuestros hijos* sobre el templo de forma más comprensible y accesible, a fin de que sientan más paz en el corazón y estén mejor preparados para enfrentar al mundo.

Después de enseñar y ministrar durante dos días a los nefitas *de todas las edades*, incluyendo *a todos los hijos de ellos*, el Señor volvió al tercer día y una vez más les enseñó y ministró, llenándoles el corazón con verdades espirituales. Como resultado, sus hijos "sí, aun los más pequeñitos abrieron su boca y hablaron cosas maravillosas" (3 Nefi 26:16).

De ese extraordinario acontecimiento, la hermana Michaelene Grassli, quien fuera Presidenta General de la Primaria, dijo: "A causa de la instrucción milagrosa, las bendiciones y la atención que [los nefitas y] sus niños recibieron, los hijos de sus hijos *perpetuaron la rectitud* en el transcurso de muchas generaciones.

"No subestimemos la *capacidad* y el *potencial* que los niños de hoy tienen para perpetuar la rectitud. No hay ningún otro grupo de la Iglesia que sea tan receptivo a la verdad, ni tan listo para aprenderla y retenerla como los niños. Ningún otro grupo es tan indefenso contra las enseñanzas erróneas ni sufre más la negligencia [...], nosotros, los adultos del mundo [...] debemos señalarles el camino. Nuestros niños de todo el mundo merecen que se haga 'memoria de ellos' y se les fortalezca espiritualmente 'por la buena palabra de Dios, para guardarlos en la vía correcta'[Moroni 6:4]"[2].

Me impresiona ver la forma en que los jóvenes de La Iglesia de Jesucristo de los Santos de los Últimos Días responden a las invitaciones que les extienden nuestros líderes a que redoblen sus esfuerzos y participen activamente en la obra de salvación.

Por ejemplo, en 2011, el élder David A. Bednar invitó a la nueva generación "a aprender sobre el espíritu de Elías y a experimentarlo". Luego les hizo esta significativa promesa: "Si responden con fe a esta invitación, el corazón de ustedes se volverá a los padres [...]. Su testimonio del Salvador y su conversión a Él serán profundos y perdurables. Y les prometo que serán protegidos contra la creciente influencia del adversario. A medida que participen en esta obra sagrada y lleguen a amarla, serán protegidos en su juventud y durante su vida"[3].

Esa invitación provocó una ola constante de corazones jóvenes que se volvieron hacia sus padres (véase Malaquías 16:6), no solo hacia sus padres terrenales y hacia sus antepasados, sino también hacia sus padres espirituales: nuestro Padre Celestial y nuestro Salvador Jesucristo. Nuestros jóvenes no solo han vuelto su corazón, sino que nos han ayudado a nosotros a volver el nuestro.

En 2012, el presidente Thomas S. Monson anunció que la edad mínima para el servicio misional se reduciría y animó a todos los hombres jóvenes que fueran dignos y que fueran física y mentalmente competentes, a responder al llamado de servir. También recordó a las jovencitas que, si bien ellas no están bajo el mismo mandato de servir que los hombres, pueden hacer una valiosa contribución como misioneras y que su servicio es bien recibido[4].

Nuevamente, en la Iglesia comenzó una ola de rectitud y consagración a medida que la nueva generación respondió al llamado del profeta y miles se embarcaron al servicio de Dios.

En diciembre de 2017, mediante una carta de la Primera Presidencia, se anunció que las mujeres jóvenes podrían ayudar en el bautisterio y que los presbíteros podrían oficiar en los bautismos por los muertos en el templo[5]. De manera similar, en octubre de 2019, se hizo el anuncio de que todo miembro bautizado en la Iglesia podría actuar en calidad de testigo en el bautismo de personas vivas, y que todos aquellos que tuviesen una recomendación para el templo podrían ser testigos en los bautismos por los muertos que se efectúan en el templo[6].

Una vez más, nuestros jóvenes están cumpliendo esas nuevas responsabilidades con amor y humildad, y ayudando a sus antepasados y a los nuestros del otro lado del velo a recibir ordenanzas de salvación.

En abril de 2018, el presidente Russell M. Nelson anunció "un enfoque más nuevo y santo de cuidar y ministrar a los demás"[7] para las mujeres jóvenes, los hombres jóvenes, las hermanas de la Sociedad de Socorro y los miembros de los cuórums del Sacerdocio de Melquisedec.

Nuevamente, los jovencitos y las jovencitas están respondiendo al llamado. La labor de las hermanas de la Sociedad de Socorro y de los hermanos de los cuórums del Sacerdocio de Melquisedec está siendo magnificada, ampliada y elevada por nuestras jovencitas y nuestros jovencitos, quienes están redoblando esfuerzos y ministrando a los demás de formas inspiradas alrededor del mundo.

En junio de 2018, el presidente Nelson invitó a "*todas* las jovencitas y a *todos* los jóvenes de 12 a 18 años de La Iglesia de Jesucristo de los Santos de los Últimos Días a que se alisten en el batallón de jóvenes del Señor para ayudar a recoger a Israel"[8].

Como era de esperarse, los jóvenes —así como miembros de todas las edades— han prestado oído a la voz del profeta. Con espíritu de oración y de forma activa, han buscado la manera de recoger a Israel. Ellos comparten la luz del evangelio de Jesucristo con sus amigos en la escuela, en su vecindario y por internet.

En septiembre de 2018, en un devocional para jóvenes adultos, el élder Quentin L. Cook les prometió que el estudio de la historia de la Iglesia les ayudará a aumentar su fe y su deseo de vivir el Evangelio de forma más plena[9].

Si la nueva generación responde a la invitación del élder Cook de la forma en que ha respondido a previas invitaciones, pronto tendremos a muchos jóvenes historiadores de la Iglesia a nuestro alrededor y tendremos la maravillosa oportunidad de aprender de ellos. Ellos nos enseñarán y nos instruirán.

En las Escrituras aprendemos que, a Samuel, David, Nefi, el capitán Moroni, Mormón, e incluso José Smith, el profeta de esta dispensación, entre muchos otros, Dios les confió verdades y responsabilidades sagradas a temprana edad, y ellos respondieron al llamado.

Nuestros jóvenes responden a invitaciones inspiradas de nuestros líderes y están dispuestos a consagrarse a la obra del Señor. Si los tratamos como "sus propios agentes" (D. y C. 58:15) quienes pueden actuar en lugar de que se actúe sobre ellos (véase 2 Nefi 2:26), llegarán a ser sus propios agentes y se portarán a la altura. A medida que les enseñamos doctrina pura con amor, ellos la comprenden, la asimilan, encuentran la manera de ponerla en práctica en su vida y la emplean para bendecir la vida de los demás.

Teniendo en cuenta que los jóvenes de la Iglesia tienen el potencial divino y el deseo de madurar y aprender, estas preguntas han estado latentes en mi corazón: ¿Qué les enseñaría en cuanto al templo a mis nietos o a cualquier joven en quien tuviera alguna influencia? ¿Qué les diría a los "puros de corazón" (Jacob 3:1–3) acerca de la Casa del Señor?

Considerando el hincapié que nuestro profeta está haciendo en que el hogar sea aún más el centro de enseñanza, aprendizaje, estudio y puesta en práctica del evangelio de Jesucristo, me pregunto si podríamos compartir más perspectivas sobre el templo con la nueva generación y con nuestros seres queridos durante esas conversaciones que tenemos en nuestro sagrado comedor o cada vez que nos ministramos unos a otros.

No estoy insinuando que hablemos con ligereza e imprudencia acerca del templo. Sin embargo, siento que, *si* seguimos el Espíritu, *si* no citamos las palabras exactas que se dicen en el templo, *si* no revelamos la información la cual hemos hecho convenio de no revelar y *si* tenemos presentes el corazón y las intenciones de aquellos con los que hablemos, tal vez podríamos ayudarles a estar mejor preparados para cuando les llegue el momento de hacer convenios con el Señor en Su sagrado templo.

Entonces, ¿qué les diría? Sin descargar una cantidad considerable de información de un solo golpe y según su entendimiento, podría decirles lo siguiente, entre otras cosas:

- El templo es un lugar sagrado donde nos preparamos para volver a la presencia de Dios.
- En el templo aprendemos sobre el Plan de Salvación y la misión divina que Jesucristo tiene en el plan.
- En el templo efectuamos ordenanzas tanto a favor nuestro como de nuestros antepasados.
- A fin de prepararnos para recibir promesas y bendiciones mayores, en el templo se nos purifica simbólicamente del pecado. Después se nos unge la cabeza con aceite y se nos bendice para que lleguemos a ser más semejantes a Dios y a Jesucristo. Esa ceremonia es un símbolo del lavamiento y de la unción de Aarón y de sus hijos, como se explica en la Biblia.

- Parte de la instrucción que se brinda en el templo la recibimos por medio de grabaciones de video y audio. Se nos enseña sobre la creación de la tierra, la función del Salvador, Adán y Eva, la Caída y la forma en que el plan de Dios nos redime de ella gracias al sacrificio de Cristo. También aprendemos en cuanto a las promesas que le haremos a Dios:

  - Prometemos obedecer todos los mandamientos de Dios que aprendemos en las Escrituras y por medio de los profetas.

  - Le prometemos a Dios que sacrificaremos nuestra voluntad por la de Él. El sacrificarnos de ese modo nos recuerda del sacrificio que Jesucristo hizo por nosotros.

  - Prometemos esforzarnos por vivir como lo hizo Jesús al concentrarnos en prácticas santas y puras. Prometemos hablar con respeto de los siervos del Señor y no tomar con ligereza las cosas sagradas, no emplear humor ofensivo ni utilizar el nombre de Dios de forma indebida.

  - Prometemos no tener relaciones sexuales antes del matrimonio y ser totalmente fieles a nuestro cónyuge después de casarnos.

  - Prometemos estar dispuestos a dar todo lo que tenemos ahora —o en el futuro— a Dios para ayudar a llevar a cabo Su obra. Eso abarca nuestro tiempo, nuestros talentos y todo aquello con lo que Él nos bendice.

- En el templo, todas las personas visten ropa blanca, lo cual es símbolo de pureza e igualdad.

- Una vez que somos investidos en el templo, bajo nuestra ropa exterior llevamos gárments sagrados que tienen un profundo significado religioso. El presidente Nelson explicó: "Así como el Salvador ejemplificó la necesidad de perseverar hasta el fin, nosotros llevamos el gárment fielmente como parte de la armadura perdurable de Dios"[10].

- En el templo, se efectúan ceremonias de matrimonio en hermosas salas donde un hombre y una mujer se arrodillan ante un altar, y hacen promesas a Dios y el uno al otro. En el templo, las parejas se casan más que solo por esta vida, se casan por la eternidad.

- Se espera que centremos nuestra vida en Jesucristo y en las promesas que Él nos pide que le hagamos a Dios en el templo. Por eso, a veces decimos que nuestra vida se centra en el templo o que este es el enfoque de nuestra fe.

- Mediante las ordenanzas que se ofrecen en el templo, podemos estar con Dios y nuestros familiares por siempre, sin importar cuándo vivieron, cuánto tiempo vivieron o si no pudieron hacer esas promesas en el templo durante su vida.

También les diría que, al hacer promesas a nuestro Padre Celestial, Él nos promete que podemos volver a vivir con Él y llegar a ser como Él. Nos promete que podemos vivir con nuestra familia para siempre y disfrutar bendiciones más grandiosas de las que podemos imaginar.

Cuán agradecida estoy por el don del arrepentimiento y por

tener segundas oportunidades. En su amorosa misericordia, el Señor Jesucristo nos acepta en el nivel en el que nos encontramos y nos lleva de la mano, si se lo permitimos. Todos los días, nos da la oportunidad de arrepentirnos, progresar, mejorar y acercarnos a Él.

"Y hablamos de Cristo, nos regocijamos en Cristo, predicamos de Cristo, profetizamos de Cristo y escribimos según nuestras profecías, para que nuestros hijos sepan a qué fuente han de acudir para la remisión de sus pecados" (2 Nefi 25:26).

Ruego con humildad que Él nos bendiga para que sepamos lo que desea que enseñemos a la nueva generación, tanto dentro como fuera del templo, a fin de que esté mejor preparada para hacer convenios con Dios "y ten[ga] por armas su rectitud y el poder de Dios en gran gloria" (1 Nefi 14:14), y de esa manera pueda soportar las presiones del mundo y perpetuar la rectitud en el transcurso de muchas generaciones.

Sé que la predicación de la palabra de Dios tiene una gran propensión a impulsar a la gente a hacer lo que es justo y surte un efecto más potente en la mente que la espada (véase Alma 31:5).

Las verdades del Evangelio y el conocimiento que recibimos en el templo nos preparan para volver a la presencia del Padre Celestial y, a medida que seamos leales a los convenios que hacemos en la Casa del Señor, tendremos una mejor comprensión de Él, de nuestro Salvador Jesucristo y de Su misión divina y redentora; tendremos la compañía constante del Espíritu Santo; y el poder de la divinidad se manifestará en nosotros (véase D. y C. 84:20–21).

PODEMOS ACUDIR AL SALVADOR AL
ENSEÑAR A LA NUEVA GENERACIÓN
A QUE ATESORE EL EVANGELIO Y
LAS BENDICIONES DEL TEMPLO.

NOTAS

1. Mosíah 26:1; Alma 5:49; 3 Nefi 1:30; Doctrina y Convenios 69:8, 123:11; véase también Doctrina y Convenios 69:8.

2. Véase Michaelene P. Grassli, "Mirad a vuestros pequeñitos", *Liahona*, enero de 1993, pág. 105, cursiva agregada.

3. David A. Bednar, "El corazón de los hijos se volverá", *Liahona*, noviembre de 2011, págs. 26–27.

4. Véase Thomas S. Monson, "Bienvenidos a la conferencia", *Liahona*, noviembre de 2012, pág 5.

5. Véase la carta de la Primera Presidencia, 14 de diciembre de 2017, Churchof JesusChrist.org/bc/content/ldsorg/church/news/2017/12/14/15223_002 .pdf?lang=spa.

6. Véase "Women can serve as witnesses for baptisms, temple sealings, President Nelson announces in historic policy change", *Church News*, thechurch news.com/members/2019-10-02/women-can-serve-as-witnesses-for -baptisms-temple-sealings-first-presidency-announces-in-historic-policy -change-162319.

7. Véase Russell M. Nelson, "Ministrar", *Liahona*, mayo de 2018, pág. 100.

8. Russell M. Nelson, "Juventud de Israel", (devocional mundial para los jóvenes, 3 de junio de 2018), ChurchofJesusChrist.org/study/broadcasts/worldwide -devotional-for-young-adults/2018/06/hope-of-israel?lang=spa.

9. Véase Sarah Jane Weaver, "Elder Cook Says Studying Church History Will Deepen Faith during Face to Face Broadcast", *Church News*, 10 de septiembre de 2018, news.churchofjesuschrist.org.

10. Russell M. Nelson, *Teachings of Russell M. Nelson*, Salt Lake City: Deseret Book, 2018, pág. 364.

A FIN DE QUE TODOS NOS SENTEMOS JUNTOS EN EL CIELO

Cuando nuestros dos hijos menores salieron a la misión más o menos al mismo tiempo, a Carlos y a mí nos costó trabajo acostumbrarnos a una nueva vida sin hijos en casa. Tuvimos que reprogramar nuestra rutina diaria y hacer ajustes en nuestra forma de estudiar el Evangelio, comprar alimentos, cocinar y entretenernos.

Fue en esa época de transición que me asignaron a una nueva compañera de lo que entonces eran las maestras visitantes. La primera vez que vi de quién se trataba pensé: "¡Esto va a ser interesante!". Para cualquier persona que nos mirara juntas, habría parecido que no teníamos mucho en común. En ese entonces, ella estaba recién casada y era mucho más joven que yo y ¡bastante rubia!

No obstante, comenzamos a visitar a las hermanas que se nos asignaron. Mi joven compañera tenía dos empleos y era estudiante de tiempo completo; sin embargo, hizo de las visitas una prioridad y siempre pudimos acomodarnos a su horario para ministrar a nuestras hermanas.

Al poco tiempo, nos dimos cuenta de todo lo que teníamos en común. Por ejemplo, ella había servido en una misión de habla hispana en California y le encantaba la comida mexicana, así que en algunas ocasiones nos reuníamos en mi casa con una de las hermanas a las que visitábamos para preparar platillos mexicanos.

Esa linda y joven compañera llenó el hueco que había dejado mi hija y nos hicimos amigas. De ella, he aprendido en cuanto a la resiliencia y la fe, y a cómo vivir el Evangelio con más alegría.

Por alguna razón, en la Iglesia existe la idea de que todos tenemos que encajar en un cierto molde y que todos tenemos que recorrer un trayecto similar. También existe la tendencia a compararnos con los demás y muchos nos sentimos como intrusos debido a que no reunimos las particularidades de ese molde que más bien es imaginario. La realidad es que cada uno de nosotros es singular por designio divino y tiene algo que aportar a la causa. Siempre que nos tomamos el tiempo de conocer mejor a los demás, nos damos cuenta de que todos tenemos una historia que contar y desafíos que enfrentar. Sin embargo, algunos optamos por no contar toda nuestra historia porque puede que sea demasiado doloroso.

Sin embargo, si seguimos el ejemplo del Salvador que mostraba amor y compasión hacia todas las personas a quienes conocía, y al esforzarnos por amar a los demás como Él nos ama, muchas barreras innecesarias y de dolor se vendrán abajo.

A veces podríamos pensar que no tenemos nada en común con otros miembros de la Iglesia. En ocasiones, escucho que algunas hermanas dicen: "No tengo nada en común con la hermana que me asignaron de compañera, así que no va a funcionar". Deseo recomendar que la manera más elevada y santa de ministrarnos es que podamos sentirnos cómodos al sentarnos unos junto a otros, incluso si pensamos que somos muy diferentes. Como mujeres, a veces somos severas entre nosotras y comenzamos a criticarnos, a compararnos y a competir, en lugar de mostrarnos compasión y caridad. No obstante, en la Iglesia, esa cultura puede y debe cambiar.

En realidad, no importa quién tiene diez hijos y quién no tiene ninguno, quién tiene un doctorado y quién estudió solo la primaria, o quién anda de pantalones y quién de falda. A quienes crean que no tienen nada en común con alguien más, les sugeriría que los detalles superficiales son de menor importancia. Lo que nos une es nuestro legado divino, las personas que nos ayudan a crecer espiritualmente, las asignaciones que recibimos del Señor, nuestra fe en el plan de Dios, nuestro amor por Jesucristo y nuestra hermandad en la familia del Padre Celestial.

Hago la promesa de que, a medida que aprendamos a valorar a las personas a las que ministramos y con quienes ministramos, seremos bendecidos con amistades eternas.

El ministrar en sí no es tanto aquello que hacemos, sino lo

que sentimos y lo que siente la otra persona. El élder Jeffrey R. Holland ofreció un ejemplo al respecto. Resulta que un día una joven madre de repente perdió el conocimiento. Entonces, el esposo, por instinto, llamó a uno de sus entonces maestros orientadores. El maestro orientador le pidió a su esposa que lo acompañara y juntos fueron de prisa a la casa de la joven pareja. La esposa del maestro orientador se quedó en casa con los niños y este llevó a la pareja al hospital. Lamentablemente, la madre falleció. El élder Holland contó que el maestro orientador permaneció con el destrozado esposo y lloró con él durante mucho tiempo[1].

Uno de los aspectos más importantes de este caso no es que el maestro orientador haya ido a la casa de la pareja sin pensarlo dos veces, sino, más bien, que lo primero que acudió a la mente de ese esposo fue llamar a su maestro orientador. El propósito de ministrar no es necesariamente hacer algo por una persona cada mes, sino hacer todo lo posible por que la persona sepa que uno le desea brindar verdadera amistad y que estará a su lado en el momento en que necesite nuestra ayuda.

Este hermoso relato muestra que ministrar no siempre tiene que ser un enorme acto de servicio. El siguiente es un ejemplo reciente de mi propia vida. Como es de esperarse, cuando tuve que ofrecer mi primer discurso en la conferencia general estaba sumamente nerviosa. ¡Es una asignación que pone los pelos de punta! Resulta que un domingo me encontré al pequeño Seth, de cinco años, en el pasillo de la capilla y me dijo: "Yo sé quién va a hablar en la conferencia".

"¿Quién?", le pregunté.

Y él respondió: "¡Usted! Y voy a orar por usted, hermana Aburto". Un niño de cinco años me ministró; me hizo sentir amada. No se requiere tanto para que una persona se sienta amada. Testifico que ofrecer consuelo es uno de los actos que nos hacen más semejantes a Cristo y el cual podemos hacer por los demás.

Sé que todos estamos haciendo nuestro mejor esfuerzo. Como dijo el presidente Henry B. Eyring en la Conferencia General de abril de 2017: "… mi propósito hoy es reafirmarlos así como vigorizarlos […]. Tal vez han venido a esta conferencia […], preguntándose si su servicio ha sido aceptable; y al mismo tiempo, quizás perciban que hay más que hacer, ¡tal vez mucho más!"[2].

El presidente Russell M. Nelson enseñó: "Ministrar es cuidar de las personas a la manera del Señor […]. Ministrar es parte del proceso de nuestro propio arrepentimiento a medida que volvemos el corazón a Dios y a Sus hijos. Y, al hacerlo, las personas a las que ministramos se acercan más al Señor en su propio afán de arrepentirse […]. A medida que interioricemos el don del arrepentimiento, nos elevaremos y ministraremos de una manera más santa"[3].

Arrepentirse y ministrar van de la mano con nuestros empeños por cumplir los dos grandes mandamientos: amar a Dios y amar al prójimo como Jesucristo nos ama. Al arrepentirnos, nos acercamos al Padre Celestial y al Salvador, y nuestro amor por Ellos crece. Al ministrar, nos acercamos más a nuestro prójimo, lo cual abarca a nuestra familia, a nuestros consiervos en el Evangelio y hasta a desconocidos, y nuestro amor por ellos crece. Al arrepentirnos, además de que nuestro amor por Dios aumenta, el amor que sentimos por los demás también crece y, al ministrar a los demás, nuestro amor por Dios se incrementa.

Me gustaría ilustrar este principio con un ejemplo de mi propia vida. Me uní a la Iglesia a la edad de 26 años. Me acababa de divorciar, tenía un hijo y mi situación económica era apretada. Cuando los misioneros me explicaron la ley del diezmo, yo tenía el deseo de contribuir, pero simplemente me parecía imposible obedecer ese mandamiento. Cada vez que recibía mi cheque, tenía un montón de cuentas que pagar y me sobraba muy poco dinero. Debido a esa realidad, no pagaba un diezmo íntegro; solo daba lo poco que me sobraba a fin de mes, y esa fue mi situación durante algunos años.

Una noche, salí con un grupo de amigas y tuvimos una buena conversación. Entonces, por alguna razón, surgió el tema del dinero y tuve la impresión de hablarles con franqueza, así que les dije: "Yo tengo el deseo de pagar un diezmo íntegro, pero sencillamente no puedo". Ellas me escucharon con atención y con amor y, de repente, el lugar donde estábamos se llenó del Espíritu.

Una por una, mis amigas me testificaron de la ley del diezmo. Una de ellas me dijo: "Reyna, tienes que probar al Señor para que Él abra las ventanas de los cielos y derrame sus bendiciones sobre ti y tu familia" (véase Malaquías 3:10).

Otra me dijo: "Si le pides ayuda al Señor, Él te ayudará.

Recuerda Su promesa cuando dijo: 'Pedid, y se os dará; buscad, y hallaréis; llamad, y se os abrirá'" (Mateo 7:7).

Una tercera amiga me dio este consejo: "Tal vez podrías hacerlo de otra manera. Podrías pagar el diezmo en cuanto recibas tu salario, incluso si es cada semana. Primero paga el diezmo y verás que todo lo demás se acomodará".

Al final, todas terminamos llorando y sentíamos como que estábamos en un lugar santo. Mis amigas no me juzgaron, no me señalaron con el dedo ni actuaron con aire de superioridad. Más bien, mostraron un sincero interés por mí y tenían el deseo genuino de ayudarme. Me fortalecieron, me llamaron al arrepentimiento y me invitaron con cariño a venir a Cristo. Me dieron un ejemplo palpable de lo que es el amor puro y semejante al de Cristo.

Esa noche al llegar a casa, me arrodillé junto a la cama y le derramé el corazón a mi Padre Celestial pidiéndole ayuda. Entonces me invadió un dulce sentimiento de tranquilidad que me ayudó a saber que, si hacía un esfuerzo sincero, Él me ayudaría. Tomé la decisión de que seguiría el consejo de mis amigas.

Al final del mes ocurrió un milagro: pude pagar el diezmo y todos los demás compromisos que tenía. No me sobró nada de dinero, ni me cayó del cielo ningún dinero adicional, pero pude obedecer la ley del diezmo y ¡eso fue un milagro para mí! A partir de entonces el milagro se repetía mes tras mes, lo cual me llenaba de alegría y gratitud.

Varios meses después, llegó otra gran bendición a mi vida, la cual también considero otro milagro. Mi esposo Carlos y yo nos hicimos novios y, gracias a que yo estaba pagando el diezmo, pudimos sellarnos en el templo. Las ventanas de los cielos en verdad se me habían abierto.

No debemos subestimar la influencia que podemos tener en nuestras amistades cada vez que les testificamos de algo y que tratamos de fortalecerlas en el Señor (véase Alma 15:18). Esa conversación que tuve con mis amigas, en la que ellas manifestaron su amor por Dios y por mí, fue un momento determinante en mi vida, el cual acarreó consecuencias y bendiciones eternas. Ellas me ministraron en una manera que me ayudó a acercarme más a Dios y a arrepentirme.

Sé que Dios acepta todos nuestros esfuerzos. La invitación que nos ha hecho el profeta de ministrarnos unos a otros de una manera nueva y más santa no implica necesariamente que tengamos que hacer más, de hecho, ya tenemos suficientes cosas por hacer. Más bien, tal vez se trata de hacer las cosas necesarias, las cosas sencillas, aquellas que el Señor desea que se hagan.

Ese principio lo aprendí hace algunos años. Cuando tenía que salir de casa a trabajar a tiempo completo, recuerdo que elaboraba una larga lista de cosas que tenía que hacer los sábados. El caso era que nunca podía hacer todo lo que tenía en la lista. Finalmente, un día caí en la cuenta de que no tenía que hacer una enorme lista para los sábados. Comencé a dejar el sábado para pasar tiempo con mi familia y durante la semana hacía compras o lavaba la ropa por las noches, para tener libre el fin de semana. Por lo que he vivido, el consejo que daría es escoger solamente dos o tres cosas de la lista, las cuales sean realistas y dejar lo demás para mejor ocasión. ¡Hay que dedicar tiempo al esparcimiento! ¡Hay que disfrutar de estar con la familia! ¡Hay que trabajar juntos! ¡Permitamos que los miembros de nuestra familia nos ayuden con lo que se necesita hacer! ¡Hagamos cosas edificantes con ellos!

Unos años después de darme cuenta de eso, comencé a trabajar desde casa. Pensé que contaría con más tiempo porque no tendría que asistir a reuniones en persona, no tendría que conducir para ir al trabajo ni tendría que tomar tiempo para prepararme el almuerzo. Sin embargo, pronto me di cuenta de que mis suposiciones eran falsas. A pesar de que trataba de ser disciplinada y de encender la computadora a las 8 de la mañana y apagarla a las 5 de la tarde, ¡simplemente parecía que nunca terminaba con mis tareas! Sentía que al final de cada día, nunca llegaba a donde quería llegar.

Un día, llegué a la conclusión de que nunca iba terminar con mis tareas; las listas nunca terminarían, porque eso no es posible. Mi deseo es decirle a todo el mundo lo que he aprendido. No tenemos que hacerlo todo, nunca vamos a terminar con todo y es posible vivir con esa realidad y aceptarla. Hay que hacer lo que podamos todos los días y pedirle al Señor que llene los huecos. Después comienza un nuevo día y nosotros también volvemos a comenzar. Eso es parte de la belleza de ser discípulos de Jesucristo: el hecho de que nunca terminamos, que siempre habrá otra cosa que hacer y que siempre podemos mejorar.

Testifico que somos hijas e hijos de padres celestiales y, como tales, cada uno tiene una naturaleza y un destino divinos.

Nuestro Padre Celestial nos ama y está pendiente de nosotros. Él conoce nuestro corazón y está dispuesto a bendecirnos a fin de que podamos volver a Su presencia.

Sé que, a medida que hagamos el esfuerzo de ministrarnos el uno al otro de una manera más nueva, elevada y santa, seremos guiados por el Espíritu y el Señor nos llevará de la mano. Él será nuestra luz y preparará el camino delante de nosotros. Él nos abrirá los ojos y los oídos, aumentará nuestra capacidad y nos ayudará a llegar a ser lo que Él desea que lleguemos a ser.

Apreciémonos los unos a los otros, velemos los unos por los otros, consolémonos mutuamente y obtengamos instrucción; para que de esa manera nos fortalezcamos el uno al otro en el Señor y podamos sentarnos juntos en el cielo donde Él nos llevará a la fuente de aguas vivas y nos enjugará las lágrimas de los ojos.

Que podamos hacer todo esto sintiendo amor por Dios y por los demás en el corazón, conforme sigamos las impresiones del Espíritu.

PODEMOS ACUDIR AL SALVADOR AL
MINISTRAR A LOS DEMÁS TENIENDO
AMOR Y ACEPTACIÓN EN EL CORAZÓN.

NOTAS

1. Véase Jeffrey R. Holland, "Estar con ellos y fortalecerlos", *Liahona*, mayo de 2018, págs. 102–103.
2. Véase Henry B. Eyring, "Mi paz os dejo", *Liahona*, mayo de 2017, pág. 82.
3. Russell M. Nelson, reunión de capacitación de líderes durante la conferencia general, abril de 2019.

ÉPOCAS DE
DIFICULTADES

Los primeros años de mi vida no fueron fáciles. Para cuando mi hermano menor, Henry, nació en 1975, en mi hogar el ambiente siempre era tenso. Mis padres discutían todo el tiempo y en ocasiones no se dirigían la palabra durante semanas. Mi padre era alcohólico; bebía principalmente los sábados y domingos, aunque a veces también lo hacía durante la semana. Parecía como si él tuviera dos personalidades distintas, una cuando estaba sobrio y otra cuando estaba pasado de copas.

Con todo, él siempre me trató bien. Gracias a ello, yo sabía que me quería, aunque muchas veces sentía enojo hacia él debido a que se portaba grosero con mi mamá siempre que se emborrachaba. Muchas veces llegué a pensar que nuestra vida habría sido muy distinta si él no hubiese tenido ese vicio.

En 1978, en mi país de origen, Nicaragua, había mucha tensión. El único tema de conversación de toda la gente era el descontento civil que había en diferentes ciudades. Todos teníamos el temor de que tarde o temprano estallaría una guerra civil en Managua, la capital.

A fines de junio de 1979, finalmente estalló el conflicto y los rebeldes tomaron parte de la ciudad. Tenían bajo su control varios vecindarios del lado este de Managua y paulatinamente se fueron acercando a nuestro vecindario. A la distancia se podía escuchar el estallido de bombas y los tiroteos, y por las noches el ruido de estos era más fuerte.

La ciudad capital estaba prácticamente paralizada, ya que las escuelas, las oficinas de gobierno y muchos negocios cerraron. Del lado oeste de la ciudad había cierto movimiento, pero la vida no era normal para nadie. El ambiente se sentía pesado y todos teníamos incertidumbre en cuanto al futuro.

En casa, colocábamos los colchones en el piso a la hora de dormir, con la esperanza de que no nos alcanzaran las balas en caso de que entraran por las ventanas. En cuanto a alimentos, comíamos de la poca reserva que teníamos, y los pollos que criábamos en el patio pasaron a ser uno por uno parte de nuestra dieta. No teníamos mucha comida, pero sí la suficiente; además, nos ayudábamos entre los vecinos. Algunos de ellos compartían un costal de azúcar, mientras otros un enorme costal de harina, y así la íbamos pasando. También nos sentábamos a conversar juntos en grupos grandes y los adultos contaban historias. Había un bonito sentimiento de unidad entre nosotros en medio del conflicto y del peligro que nos rodeaban. Parecía como si todos perteneciéramos a una gran familia y la bondad de la gente se manifestaba por medio de pequeñas muestras de amor.

Por otra parte, debido a que el gobierno controlaba todos los medios de comunicación pública, por las noches escuchábamos emisoras de Costa Rica porque las de Nicaragua habían sido clausuradas. Nos enterábamos de la forma en que el gobierno intentaba echar a los rebeldes de la ciudad y de todas las atrocidades que se estaban cometiendo.

Después de algunas semanas, el ejército comenzó a bombardear desde el aire zonas de la ciudad que estaban bajo el control de los rebeldes. Todas las tardes, a eso de las cuatro de la tarde, observábamos los aviones que volaban sobre la parte este de la ciudad y disparaban ráfagas de balas. También había helicópteros que lanzaban toneles llenos de explosivos.

Por la radio escuchábamos el recuento de los daños que se causaban todos los días; muchas viviendas eran destruidas y familias enteras morían a consecuencia de los ataques. Para mí era muy difícil observar esos aviones y helicópteros todas las tardes a sabiendas de que cada bomba que dejaban caer mataba a muchas personas, entre ellas niños. Sin embargo, también costaba trabajo *no* observar. Todos los vecinos salían a la calle para ver los aviones y helicópteros. Era escalofriante verlos girar en dirección nuestra cuando volaban en círculos alrededor de sus objetivos.

Al observar toda esa insensatez, destrucción e injusticia, me acudían a la mente estas preguntas: *¿Por qué permite Dios que suceda esto? ¿Por qué no hace algo para detenerlo?* No estaba enojada con Él, pero sí me hacía esas preguntas en la mente.

Muchos años después, aprendí que uno de los dones más preciados que recibimos de Dios es el albedrío, el cual consiste en nuestra capacidad para elegir nuestras acciones. El Libro de Mormón enseña: "Así pues, los hombres [...] son libres para escoger la libertad y la vida eterna, por medio del gran Mediador de todos los hombres, o escoger la cautividad y la muerte" (2 Nefi 2:27). El albedrío es un principio eterno que ejercimos en la vida preterrenal, donde se nos enseñó sobre el Plan de Salvación del Padre Celestial y tuvimos la oportunidad de escoger por nosotros mismos si lo seguiríamos a Él y Su plan.

Afortunadamente, algo sucedió en Nicaragua y la situación se resolvió cuando el presidente salió del país. Recuerdo vívidamente el día después de su partida y la celebración de los rebeldes en las calles de la ciudad. Creo que nunca he tenido una experiencia similar, en la que todo mundo irradiaba una enorme felicidad; se sentía una alegría colectiva y todos pensábamos que nuestros problemas se habían acabado.

Después de terminar la secundaria, comencé a asistir a la universidad. El aprendizaje y la superación académica son cosas que siempre me han gustado. Sin embargo, con el paso de los años, la situación social y económica de Nicaragua comenzó a ir de mal en peor. Yo, por mi parte, decidí casarme con el muchacho con el que estaba saliendo y poco después nos fuimos del país. Llegamos a San Francisco, California, en el mes de octubre de 1984.

Mis primeros meses en Estados Unidos fueron difíciles porque ese primer invierno sentí mucho frío, ya que yo venía de un clima cálido. Además, tenía que adaptarme a una nueva cultura y a un nuevo idioma; para esto, el resto de mi familia se había quedado en Nicaragua. No obstante, sentía mucho agradecimiento de estar en este espléndido país. Me sentía sumamente bendecida por tener un empleo en el que ganaba USD 3,35 la hora y un lugar donde vivir. Sentía el deseo y, de alguna manera, tenía los medios para ayudar a que mi familia también viniera a vivir conmigo. Después de un tiempo, mi mamá y mis dos hermanos llegaron a San Francisco.

Por las noches asistía a la escuela; primero a una donde llevaba inglés como segundo idioma y después comencé a asistir al City College of San Francisco. Mi hijo Xavier nació dos años después. Su nacimiento trajo una inmensa alegría a mí y a mi familia. Era un niño sano y vivaz que me dio una hermosa razón para seguir adelante y esforzarme más.

Sin embargo, mi esposo comenzó a caer en el vicio del alcohol y de las drogas que, con el tiempo, empeoró. Llegó un momento en el que de buenas a primeras dejó de trabajar y se desaparecía durante varios días. Para mí, la situación se volvió insoportable.

Debido a ello, comencé a asistir a reuniones de Alcohólicos Anónimos y a ver a una terapeuta con tal de encontrar la manera de ayudarlo. Entonces me enteré de que yo también necesitaba ayuda.

Después de una serie de sucesos mediante los cuales me di cuenta claramente de que mi hijo de tres años y yo estábamos en riesgo, tomé la dolorosa pero liberadora decisión de separarme de forma permanente y divorciarme de mi esposo. Con todo, incluso después de que él se marchó, yo aún no me sentía en paz. ¿Qué pasaría si regresaba? ¿Cómo iba a criar a mi hijo para que fuera un buen niño y llegara a ser un buen hombre? ¿Dónde hallaría solaz para mi alma? ¿Cómo sería nuestro futuro?

Soy consciente de que, en ocasiones, nos suceden cosas en la vida sobre las cuales no tenemos control y que las decisiones de otras personas podrían llegar a lastimarnos. Tenemos anhelos, tenemos preguntas, nos suceden cosas que parecen no tener ningún motivo. Sin embargo, si escuchamos al Señor, Él "habl[ará] paz a nuestras almas [y hará] que en él [pongamos] la esperanza de nuestra liberación" (Alma 58:11). Si somos pacientes, si depositamos nuestra confianza en el Salvador, si confiamos en que las cosas sucederán en Su tiempo y tratamos de seguir Sus mandamientos, un día las respuestas llegarán y finalmente hallaremos la paz que buscamos.

El élder Dieter F. Uchtdorf contó en una ocasión el relato de una majestuosa iglesia luterana que se encuentra en Dresde,

Alemania, y la cual fue destruida durante la Segunda Guerra Mundial. Años después, el edificio fue reconstruido haciendo uso de muchos de los ladrillos originales que fueron quemados durante los bombardeos, razón por la cual algunos de ellos son negros.

Yo siento que mi vida es como esa iglesia, ya que he pasado por situaciones sumamente difíciles. Las cicatrices, las consecuencias y el dolor aún siguen latentes. No obstante, el Señor Jesucristo ha reconstruido mi vida y me ha permitido tener gozo por medio de Sus tiernas misericordias y del poder habilitador de Su expiación. Sé que Él es nuestro Salvador y Redentor, la fuente de paz y sanación. Me he sentido "envuelt[a] entre los brazos de su amor" (2 Nefi 1:15). Él siempre nos extiende Sus brazos de misericordia y amor a fin de que acudamos a Él, tengamos una mejor vida e incluso la vida eterna.

Así como el élder Uchtdorf dijo al referirse a esa iglesia de Alemania: "… si el hombre puede tomar las ruinas, los escombros y los restos de una ciudad deshecha y reconstruir una estructura impresionante que se eleva hacia los cielos, ¿cuánto más capaz es nuestro Padre Todopoderoso de restaurar a Sus hijos que han caído, pasado por dificultades o que se han perdido?

"No importa qué tan completamente arruinada parezca estar nuestra vida. No importa lo escarlata de nuestros pecados, lo profundo de nuestro resentimiento, lo solitario, abandonado o destrozado que parezca estar nuestro corazón. Aun aquellos que no tengan esperanza, que estén desesperados, que hayan traicionado la confianza, que hayan renunciado a su integridad o que se hayan alejado de Dios pueden ser restablecidos. Excepto aquellos escasos hijos de perdición, no existe una vida que esté tan destrozada que no pueda ser restablecida.

"Las gozosas nuevas del Evangelio son estas: gracias al plan eterno de felicidad proporcionado por nuestro amoroso Padre Celestial y por medio del sacrificio infinito de Jesús el Cristo, no solo podemos ser redimidos de nuestro estado caído y restablecidos a la pureza, sino que también podemos trascender la imaginación terrenal y llegar a ser herederos de la vida eterna y partícipes de la gloria indescriptible de Dios"[1].

Todos pasamos por momentos difíciles, todos enfrentamos tribulaciones en la vida y todos tenemos la necesidad de sanar y de recibir la gracia que redime. Parte de nuestra experiencia terrenal consiste en pasar por pruebas, grandes y pequeñas, en distintas épocas de la vida, pero el Padre Celestial "consagrará [nuestras] aflicciones para [nuestro] provecho" (2 Nefi 2:2). Esos momentos difíciles nos fortalecen y nos ayudan a ser sensibles al dolor de los demás. Siento agradecimiento por las dificultades que he enfrentado porque me han moldeado, me han permitido llegar a saber lo que sé y me han dado la humildad para reconocer que dependo del Padre Celestial y del Señor Jesucristo. También me han dado la oportunidad de sentir el amor e interés que Ellos tienen por mi persona. Sé que el Padre Celestial y el Salvador están pendientes de cada uno de nosotros.

Si estás atravesando por un momento difícil en tu vida, te ruego que no te rindas; sigue intentándolo, sigue acudiendo al Salvador para que Él te pueda sanar. Sé que podemos ser sanados mediante el bálsamo que nuestro Maestro Sanador, Jesucristo, nos ofrece en Su amor infinito y perfecto.

Sé que Jesucristo regresará a la tierra un día "revestido de poder y gran gloria" (D. y C. 45:44). En ese momento, Su trompeta sonará, todo oído la oirá, toda rodilla se doblará, toda lengua confesará ante Él (véase D. y C. 88:104; Mosíah 27:31) y todos nos regocijaremos de manera colectiva, con gozo sempiterno.

PODEMOS ACUDIR AL SALVADOR AL AGUARDAR CON PACIENCIA LAS RESPUESTAS Y BENDICIONES QUE PROCURAMOS RECIBIR, INCLUSO AL ENCONTRARNOS EN MEDIO DE PRUEBAS.

NOTAS

1. Dieter F. Uchtdorf, "Él los colocará en Sus hombros y los llevará a casa", *Liahona*, mayo de 2016, págs. 101–102.

JEHOVÁ SERÁ
NUESTRA LUZ ETERNA

Como parte de la vida mortal, todos pasamos momentos de oscuridad y de luz; por episodios de tristeza y de alegría; por momentos de desesperación y de esperanza; por lapsos de desasosiego y de paz; y por períodos de debilidad y de fortaleza. En las Escrituras leemos que, a fin de sentir gozo, tenemos que conocer la miseria (véase 2 Nefi 2:23), y que "es preciso que haya una oposición en todas las cosas" (2 Nefi 2:11). Las enfermedades que padece el cerebro son parte de la oposición que afrontamos en la carne.

En mi caso, si bien he atravesado por lo que algunos llaman "tristeza circunstancial"[1] al pasar por situaciones difíciles en mi vida, puedo decir que, hasta ahora, no he padecido lo que es la depresión clínica.

La primera experiencia que viví de forma más palpable con

ese padecimiento fue cuando vi a mi hija Elena sufrir de depresión en sus últimos años de adolescencia. A ella y a mí nos tomó años darnos cuenta de que lo que le aquejaba era depresión y ansiedad social. Cuando ella finalmente comprendió que necesitaba ayuda, emprendimos juntas el trayecto hacia su recuperación. Al igual que cualquier otro trayecto, el nuestro implicaba pedir ayuda divina, derramar nuestro corazón a nuestro Hacedor para solicitar Su guía y confiar en Su poder para llevarnos de la mano. Ahora, al mirar atrás, me doy cuenta de que las respuestas del Padre Celestial llegaron poco a poco y de manera sutil. Sin embargo, fue necesario que actuáramos con fe a fin de dar un paso a la vez.

Después de terminar la secundaria, a Elena se le dificultaba mantener un empleo a causa de la ansiedad social que padecía. En la universidad pudo desenvolverse bien debido a que detalles como asistir a clases, completar asignaciones y presentar pruebas se pueden hacer de forma individual. Por otra parte, justo en esa época, ella sintió la impresión del Espíritu de que tenía que servir en una misión. Como parte de la preparación para la misión, se dio cuenta de que necesitaba ayuda profesional para lidiar con la depresión y la ansiedad. También consiguió un nuevo empleo y tomó la determinación de conservarlo, lo cual logró hasta que salió a la misión.

Para entonces, yo sentía que mi papel era el de ser una compañera que la escuchara, de manera que cada vez que llegaba a casa del trabajo, ya por la noche, nos sentábamos a la mesa y conversábamos durante un buen rato. Ella me contaba de los obstáculos que enfrentaba en la escuela y el trabajo, y yo la escuchaba, lloraba con ella, la abrazaba, le daba palabras de consuelo y oraba con ella.

Después de recibir terapia por un tiempo, su situación mejoró y salió a la misión, donde encontró a muchos ángeles que la ayudaron. Su presidente de misión, la esposa de este, sus compañeras, las demás misioneras y los élderes que servían en la Misión California Modesto, los miembros de la Iglesia, los amigos a los que enseñó, los familiares y amigos que la animaban desde distintos lugares, todos ellos, de manera consciente o sin saberlo, fueron instrumentos en las manos del Señor que le dieron consuelo y fortaleza.

No obstante, más o menos como a la mitad de su misión, sufrió una recaída. Al leer sus mensajes, supe que ella no se encontraba bien y para mí era difícil no poder estar a su lado para ayudarla. Un domingo por la noche, no podía conciliar el sueño debido a que sentía mucho pesar en el corazón, de manera que me levanté, me fui a otra habitación y lloré durante un gran rato. Después de que me sentí más desahogada, me arrodillé y le supliqué a mi Padre Celestial que me hiciera saber qué podía hacer. Al poco rato, sentí paz en el corazón, regresé a la cama y después de un rato pude conciliar el sueño con la ayuda del cansancio que sentía.

Al despertar la mañana siguiente, me acudió una idea clara a la mente: *No sé nada acerca de la depresión y me tengo que informar al respecto para poder ayudar a mi hija.* Esa simple impresión fue la respuesta que esperaba. A partir de ese momento, me aboqué a la tarea de buscar información en cuanto a la depresión y la ansiedad en distintos recursos que ofrece la Iglesia.

Imprimí muchos de los artículos y materiales que encontré, le envié copias de ellos a Elena y le pedí que los estudiara y los compartiera con otras personas en la misión. Le dije que yo haría lo mismo por mi parte. También le sugerí que buscara ayuda profesional por medio de su presidente de misión. Ella habló con él y este se encargó de hacer los arreglos correspondientes, tras lo cual, ella tuvo algunas sesiones con una terapeuta, lo que marcó una enorme diferencia y le permitió permanecer en la misión y servir al Señor Jesucristo, predicando Su evangelio y sintiendo el gozo de ayudar a los demás a venir a Él.

Por mi parte, mientras más leía, estudiaba y reflexionaba, más me daba cuenta de que los problemas emocionales son más comunes de lo que pensamos y que, sin darnos cuenta, la sociedad y las tradiciones pueden empeorarlos. Uno de los detalles más sorprendentes que averigüé fue que el perfeccionismo es una de las principales causas de depresión y ansiedad. Yo siempre había creído que el hecho de tratar de hacer las cosas a la perfección era una cualidad positiva que valía la pena desarrollar. A lo largo de mi estudio, me enteré de que, en cierta medida es positiva, porque es necesario que sigamos motivándonos y que tratemos de hacer nuestro mejor esfuerzo en todos los aspectos de la vida. Sin embargo, si la llevamos al extremo y no permitimos que nosotros ni los demás se den cuenta de que, como seres humanos, tenemos limitaciones, entonces se vuelve dañina y debilitante. El comprender y aceptar de forma plena que siempre nos quedaremos cortos en todo lo que hagamos y que necesitamos la gracia de Jesucristo para seguir adelante, es una de las verdades más fortalecedoras y reveladoras que podemos acoger.

Elena terminó la misión a fines de marzo de 2017, solo tres días antes de que yo fuera sostenida como Segunda Consejera de la Presidencia General de la Sociedad de Socorro de La Iglesia de Jesucristo de los Santos de los Últimos Días. Poco sabía en ese entonces que el trayecto que habíamos recorrido juntas sería parte de la preparación que había recibido por parte del Padre Celestial para cumplir con mi llamamiento.

Resulta que, como parte del llamamiento, en cuanto comencé a visitar congregaciones de miembros de la Iglesia de todas las magnitudes en distintas partes del mundo; a tener conversaciones con personas, familias, líderes, misioneros y mis propios familiares; a leer cartas que nuestra presidencia recibía; a escudriñar las Escrituras en busca de revelación y fortaleza; a ayunar y orar para procurar ayuda divina; a buscar constantemente la manera de desempeñar mi llamamiento lo mejor posible; y a intentar aplicar la gracia redentora de Jesucristo en todo lo que hacía, llegué a la conclusión de que cada uno de nosotros tiene la grandiosa y constante necesidad de Su sanación que fortalece y libera.

El sentimiento de que el tema de los problemas emocionales debía tratarse de una manera más abierta entre los miembros de la Iglesia me embargaba una y otra vez. Cuando recibí mi primera asignación para hablar en la conferencia general, ese tema fue uno de los primeros que me acudió a la mente y al corazón a medida que reflexionaba en cuanto a lo que el Señor deseaba que yo dijera. Sin embargo, me di cuenta de que el tema del estrés emocional requería de mucha preparación y mucho tiempo de mi parte, y para entonces no contaba con una gran cantidad de este último. A medida que seguía reflexionando, el Espíritu me guio en una dirección distinta con esa primera asignación. No obstante, comencé a escribir ideas y pensamientos en cuanto a las afecciones emocionales conforme me acudían a la mente y al corazón.

Sé que hay muchas otras afecciones mentales y emocionales, pero en bien de la simplicidad, en este libro me refiero principalmente a la depresión y la ansiedad.

Cuando recibí mi segunda asignación para hablar en el sagrado entorno de la conferencia general, comencé el divino proceso de suplicar la guía de los cielos a fin de saber qué rumbo debía tomar. Comencé a orar, ayunar, meditar y escuchar. Curiosamente, durante esos días, tuve conversaciones con personas que sacaban a colación el tema de la depresión y la ansiedad sin que yo les insinuara que lo traía en la mente y el corazón. Después, me puse a repasar las notas que había escrito sobre el tema y, sosteniéndolas en las manos, le pregunté al Padre Celestial: "¿Es esto de lo que quieres que hable?". Conforme recibía otras impresiones, comencé a ir en esa dirección a sabiendas de que, si no era la correcta, el Espíritu me lo indicaría.

Entonces, cuando comencé a escribir el discurso, la imagen de una experiencia que había tenido unos años antes en un avión que se acercaba a una fuerte tormenta al atardecer, me venía a la mente una y otra vez. En esa ocasión, mientras estábamos por encima de las nubes, no podíamos visualizar la oscuridad que yacía a solo unos metros debajo de nosotros, y cuando quedamos envueltos por la oscuridad tras descender, era difícil visualizar el resplandor del sol que brillaba a solo unos metros arriba de nosotros. Esa imagen me causó tal impresión que cada vez que leía o pensaba en cuanto a la forma en que las personas se sienten cuando padecen una enfermedad del cerebro, me acordaba de esas oscuras nubes que vi desde el interior del avión y de cómo bloqueaban la intensa luz del sol que había encima de ellas. De igual manera, el darme cuenta de lo mucho que podría dificultársele a alguien que nunca haya padecido alguna de esas enfermedades creer que estas son reales, recordé que el fuerte reflejo del sol sobre las nubes hacía que estas tuvieran un intenso brillo, por lo que era difícil visualizar la oscuridad que había debajo de ellas.

Me pareció que era la imagen perfecta que tal vez serviría para que las personas se dieran cuenta de que, cuando el cerebro de alguien sufre, el problema radica en la enfermedad, o la nube, no en la persona en sí. La persona no es culpable de su enfermedad. De hecho, no hay necesidad de averiguar de quién es la culpa. Lo que la persona necesita es recibir la sanación que ofrece el Salvador Jesucristo y entender que no tiene por qué sufrir a solas.

Una de las tristes consecuencias de esas nubes oscuras que llegan a formarse en nuestra vida es que pueden cegarnos de la luz de Dios e incluso hacernos cuestionar si esa luz está a nuestro alcance. El Padre Celestial y Su Hijo Jesucristo siempre están cerca de nosotros para ayudarnos si acudimos a Ellos, pero esas nubes podrían impedir que sintamos Su amor.

Otra lamentable realidad de esos padecimientos es que podrían distorsionar la forma en que nos vemos a nosotros mismos, a los demás e incluso a Dios. Me parece que estos también son la causa de muchos problemas que hay en la sociedad, como el abuso, el divorcio, las adicciones y hasta la guerra. Además, son universales y afectan a mujeres y hombres de todas las edades y condiciones sociales de todas partes.

Igual de dañina es la nube de escepticismo y crítica que insensibiliza y que podría afectar a los que no hayan sufrido esos desafíos. Muchos de nosotros hemos crecido con la idea de que, si tenemos la suficiente fe, todos los problemas se pueden resolver. En efecto, la fe es una fuente poderosa de sanación, en particular si se centra en Jesucristo y en Su capacidad para sanarnos. Sin embargo, nuestra fe también tiene que ir acompañada de las acciones necesarias para recibir esa sanación, porque somos "*justificados* por la fe *y las obras, por medio de* la gracia" (Traducción de José Smith, Romanos 4:16; véase también Santiago 2:17; 1 Nefi 16:28).

Durante su ministerio terrenal, Jesucristo sanó a los enfermos y afligidos, pero cada uno de ellos tuvo que ejercer fe en Él y actuar a fin de que Él los sanara. Algunos caminaron grandes distancias, otros extendieron la mano para tocar Su manto y otros tuvieron que ser llevados a Él para ser sanados[2].

Es importante que aprendamos y sepamos la manera en que funciona el cuerpo humano, y que nos encontramos en un estado mortal en el que inevitablemente tenemos que enfrentar las realidades de la carne. Del mismo modo que otras partes del cuerpo, el cerebro está sujeto a enfermedades y desequilibrios químicos.

En alguna ocasión escuché a alguien decir que cuando estudiamos el cuerpo humano, estudiamos a Dios, debido a que somos hechos a Su imagen. La proclamación sobre la familia dice: "Todos los seres humanos, hombres y mujeres, son creados a la imagen de Dios. Cada uno es un amado hijo o hija procreado como espíritu por padres celestiales y, como tal, cada uno tiene una naturaleza y un destino divinos[3]. Al igual que nuestros padres celestiales y nuestro Salvador, tenemos un cuerpo físico, y en ese cuerpo[4] tenemos un espíritu que siente emociones[5]. Nuestras emociones forman parte de esa naturaleza divina que hemos heredado de Ellos. Este conocimiento nos puede ayudar a sobrellevar nuestras emociones de una manera sana, a tratar las enfermedades del cerebro y a buscar fuentes de sanación del daño que causan. Si aprendemos a reconocer y a valorar nuestras emociones, podemos canalizarlas de forma constructiva a fin de llegar a ser más semejantes a nuestro Salvador Jesucristo.

Sentirnos tristes o preocupados de vez en cuando es algo normal. La tristeza y la ansiedad son sentimientos humanos naturales[6] que tenemos cuando las cosas no salen de la manera que esperábamos, cuando un acontecimiento cambia el rumbo de nuestra vida, cuando otra persona nos lastima o lastima a alguien más, ya sea de forma intencional o no, cuando cometemos errores o por cualquier otro motivo que esté fuera de nuestro control. El hecho de llorar, expresar nuestros sentimientos y lidiar con nuestras emociones no tiene que ser motivo de vergüenza. De hecho, a través del llanto, dejamos escapar la presión que hay en nuestro interior, nos liberamos de cargas y temores, y, de alguna manera, lavamos y limpiamos los ojos para ver con mayor claridad y con una perspectiva eterna.

No obstante, si constantemente estamos tristes y si el dolor es tan profundo que no nos permite sentir el amor del Padre Celestial y de Su Hijo, ni la influencia del Espíritu Santo, entonces quizá tengamos que aceptar que nos encontramos en un punto que sobrepasa la tristeza y que tenemos un caso de depresión, ansiedad u otra afección emocional. Si nuestra mente padece, es apropiado que procuremos ayuda de Dios, de las personas que nos rodean y de profesionales médicos o de la salud mental. El hecho de reconocer que necesitamos ayuda es el primer paso que podemos dar para volver a sentir el Espíritu.

Elena describió sus momentos más oscuros de esta manera:

"Una de las pruebas más difíciles que he tenido que soportar es la tristeza. Hubo una época en la que todo el tiempo me embargaba una gran tristeza. Siempre pensé que la tristeza era motivo de vergüenza y señal de debilidad, por eso me la guardaba"[7].

Mi amiga Naomi explicó su caso así: "Desde niña he luchado constantemente con sentimientos de desesperanza, oscuridad, soledad y temor, y la sensación de estar destrozada o defectuosa. Me esforzaba por ocultar mi dolor para nunca dar otra impresión que no fuera la de positivismo y fortaleza"[8].

Lamentablemente, muchos de nosotros nos sentimos así; sentimos que nos envuelve una asfixiante y abrumadora oscuridad que nos impide ver o sentir cualquier tipo de bondad divina a nuestro alrededor; y muchos sufrimos en silencio, soledad y aislamiento debido a que no sabemos cómo ni dónde pedir ayuda.

Es una realidad que la puede enfrentar cualquiera, sobre todo cuando, como creyentes del plan de felicidad, nos imponemos cargas innecesarias al pensar que tenemos que ser perfectos ahora, lo cual puede llegar a ser abrumador y debilitante. Lograr la perfección es un proceso que tendrá lugar a lo largo de nuestra vida mortal y más allá, y solo mediante la gracia de Jesucristo[9].

En cambio, al hablar abiertamente de nuestros problemas emocionales, reconociendo que no somos perfectos, damos permiso a los demás de expresar sus desafíos y juntos comprendemos que hay esperanza y que no tenemos que sufrir a solas. Necesitamos abrir la conversación y hablar de este tema de una manera adecuada con nuestros hijos, familiares y amigos en nuestro hogar, nuestro barrio y nuestra comunidad.

El Padre Celestial diseñó nuestra experiencia terrenal de manera tal que necesitamos depender no solo del Salvador, sino también el uno del otro a fin de que podamos terminar satisfactoriamente el trayecto que nos llevará de regreso a nuestro hogar celestial. Como discípulos de Jesucristo, hemos hecho convenio con Dios de que estamos "dispuestos a llevar las cargas los unos de los otros para que sean ligeras" y "a llorar con los que lloran; sí, y a consolar a los que necesitan de consuelo" (Mosíah 18:8–9). El Salvador también nos ha pedido que apacentemos Sus corderos y ovejas[10]. Guardar ese convenio y prestar oído a ese pedido abarcan informarse acerca de las enfermedades emocionales, buscar recursos que nos sirvan para hacer frente a esos problemas y, al final, acudir y llevar a los demás a Cristo, el Maestro Sanador, quien puede sanarnos[11].

Muchas veces no sabemos qué decir ni cómo reaccionar debido a que no podemos visualizar aquello por lo que está pasando una persona. Sin embargo, el hecho de informarnos en cuanto a la realidad y a la cantidad cada vez mayor de problemas emocionales nos permite sentir y mostrar más compasión hacia el dolor que otras personas sufren. Aunque no podamos identificarnos con lo que los demás estén pasando, el hecho de validar la realidad de su dolor puede ser un gran primer paso para hallar comprensión y sanación. Puede ser de gran ayuda saber reconocer las señales y los síntomas en nosotros y en los demás. También podemos aprender a detectar formas de pensar equivocadas y nocivas, y la manera de reemplazarlas por formas más acertadas y sanas[12].

En algunos casos, se puede determinar la causa de la depresión o ansiedad, pero en otros, esa causa podría ser difícil de discernir. La depresión también se puede derivar de cambios positivos en la vida —como el nacimiento de un bebé o un nuevo empleo— y puede presentarse cuando la vida de una persona marcha bien. Nuestra mente podría padecer a causa del estrés[13], el perfeccionismo, el temor a las críticas, el pesar por el pecado, el miedo al futuro o la intensa fatiga[14], todo lo cual a veces se puede mejorar ajustando la dieta, el sueño y el ejercicio; expresando nuestras emociones al Padre Celestial por medio de la oración y en nuestras conversaciones con los demás; centrándonos en las demás personas en lugar de en nosotros[15]; y recurriendo a la gracia divina que nos ofrece Jesucristo. En otros casos, puede que sea necesario recurrir a la terapia o los medicamentos bajo el cuidado de profesionales capacitados.

El élder Richard G. Scott dijo lo siguiente en una ocasión: "Para comenzar a sanar se requiere una fe semejante a la que un niño tiene en el hecho inalterable de que el Padre Celestial te ama y que te ha proporcionado el modo de sanar. Su Amado Hijo Jesucristo dio Su vida para brindar la cura; sin embargo, no hay una solución mágica, ni un simple bálsamo que cure, ni tampoco hay un camino fácil para el alivio completo. La cura requiere una profunda fe en Jesucristo y en Su infinita capacidad para sanar"[16].

Las consecuencias de no atender las afecciones mentales o emocionales pueden conducir al aislamiento, los malentendidos, la ruptura de relaciones, los daños autoinfligidos y hasta el suicidio. Este último lo he sufrido en carne propia porque mi padre se suicidó hace muchos años. Su muerte fue impactante y devastadora para mí y mi familia. Sucedió cuando él vivía en San Francisco, California, y nosotros no sabíamos que él tenía padecimientos emocionales. Nunca nos imaginamos que llegara a intentar semejante cosa. Esa experiencia es algo que hasta la fecha me cuesta aceptar y explicar.

De hecho, me ha tomado años procesar el dolor que he sentido a causa de su muerte. Fue un tema que por mucho tiempo no me atreví a tocar debido a que era demasiado doloroso. Incluso llegué a temer que, si se lo contase a mis hijos, ellos pudieran pensar en suicidarse. Sin embargo, ahora me doy cuenta de que estaba equivocada y que abordar el tema del suicidio de maneras apropiadas en realidad ayuda a prevenirlo en lugar de dar alas para que se cometa[17]. Por otra parte, mientras me preparaba para discursar en la conferencia general sobre este tema, caí en la cuenta de que no podía actuar con hipocresía. No me podía dar el lujo de aconsejar a la gente que hablara abiertamente de sus problemas si yo no estaba dispuesta a hacer lo propio. De modo que, de una vez por todas, hablé con mis hijos de los pormenores del fallecimiento de mi papá.

A pesar de que fue difícil, a la vez fue un alivio para mí. Ahora entiendo que parte del proceso de sanar consiste en poder hablar de nuestro dolor, en dejar que otras personas lloren con nosotros y en permitir que el Salvador obre Sus milagros en nosotros. Puedo decir con certeza que he sido testigo de la sanación que Él puede brindar en ambos lados del velo. Espero con ansias la oportunidad de hablar un día con mi papá en el otro lado del velo, de decirle cuánto lo quiero y de pedirle perdón por no haber estado a su lado cuando más me necesitaba.

Penosamente, muchos miembros de nuestra Iglesia que sufren casos graves de depresión se distancian de los demás santos porque sienten que no encajan en una idea imaginaria de lo que creen que debería ser su vida. Por alguna razón, existe la idea de que hay un molde que es idéntico para todos. Lo cierto es que cada uno de nosotros es distinto y tiene su propia historia. Cada vez que nos presentamos con los demás, decimos cosas que creemos que ellos desean escuchar y nos guardamos otras, ya que son demasiado personales o dolorosas para mencionarlas. Eso quiere decir que, cada persona a la que conocemos, aunque parezca ser feliz o en realidad lo sea, lleva alguna pena en el corazón. Lo cierto es que todos estamos sanando o tenemos la necesidad de sanar de algo.

Creo que podemos ayudar a aquellos que piensan que no encajan a saber que sí pertenecen con nosotros. Es importante tener presente que la depresión no se deriva de la debilidad y normalmente tampoco del pecado (véase Juan 9:1–7). Más bien, "aumenta si se mantiene en secreto y se mitiga con la empatía"[18]. Juntos podemos romper las nubes del aislamiento y el estigma para que se levante la carga de la vergüenza y se produzcan milagros de sanación.

Podemos seguir la senda del Salvador, mostrar más compasión y dejar de juzgar y de ser los inspectores de la espiritualidad de los demás. Todos estamos haciendo nuestro mejor esfuerzo por seguir los mandamientos de Dios. "Así que, no nos juzguemos más los unos a los otros" (Romanos 14:13). Una de las mayores dádivas que podemos ofrecer es escuchar con amor, y de esa manera, podemos ayudar a llevar y disipar las cargadas nubes que asfixian a nuestros seres queridos y amigos (véase Romanos 2:19; 13:12) para que mediante nuestro amor puedan volver a sentir al Espíritu Santo y percibir la luz que emana de Jesucristo, "una luz que no se puede esconder en las tinieblas" (D. y C. 14:9). Cuando se trata de sanar, ¿acaso no necesitamos todos de Él desesperadamente? "¿No somos todos mendigos?" (Mosíah 4:19)[19].

Cada vez que surge un problema, tenemos la tendencia a arreglarlo. No obstante, no tenemos que ser los únicos que nos reparemos a nosotros mismos o a los demás. No tenemos que hacerlo todo nosotros. En más de una ocasión en mi vida, he recurrido a terapeutas para hacer frente a tiempos de dificultad. Hay momentos en la vida en los que debemos dar consuelo, pero hay otros en los que debemos estar dispuestos a recibir consuelo de otras personas. No importa cuán débiles seamos, siempre hay algo que podemos hacer para llevar esperanza a alguien.

Si te rodea constantemente un "vapor de tinieblas" (1 Nefi 8:23–24), te ruego que acudas al Padre Celestial. Nada por lo que hayas pasado puede alterar la verdad eterna de que tú eres Su hija o Su hijo, y que Él te ama[20]. Recuerda que Cristo es tu Salvador y Redentor, y que Dios es tu Padre. Ellos te comprenden. Imagínalos sentados cerca de ti, escuchándote y ofreciéndote apoyo[21]. Ellos te consolarán en tus aflicciones (véase Jacob 3:1). Lee tu bendición patriarcal o pide una bendición del sacerdocio para que escuches y recuerdes lo mucho que el Padre Celestial te ama y quiere bendecirte. Haz todo lo que puedas y confía en la gracia expiatoria del Señor.

Tus aflicciones no te definen, sino que te pueden *refinar*[22]. Debido a un "aguijón en [la] carne" (2 Corintios 12:7), podrías tener la capacidad para sentir más compasión por los demás y llenarte de amor para con Dios y las personas que te rodean (véase Mosíah 2:4). Siguiendo la guía del Espíritu Santo, cuenta tu historia para que socorras a los débiles, levantes las manos caídas y fortalezcas las rodillas debilitadas (D. y C. 81:5; véase también Isaías 35:3), y busca oportunidades de establecer conexiones más fuertes con los demás.

Todos podemos ser sanadores y ayudantes. El élder Jeffrey R. Holland extendió esta invitación: "Les pido que sean sanadores y ayudantes, que sean alguien que colabore en la obra de Cristo de levantar cargas, de hacer que sean más ligeras, de tratar de arreglar las situaciones. ¿Acaso no era eso lo que pedíamos de niños cada vez que teníamos un chichón o un moretón? ¿Acaso no les pedíamos a mamá o papá que hiciera algo para arreglarlo? Pues bien, muchas personas alrededor de ustedes tienen chichones y moretones, y desean sanar y recuperarse. Hay alguien [...] cerca de ustedes [...] que lleva algún tipo de carga espiritual, física o emocional, o alguna otra aflicción de las miles que hay en el catálogo de la vida"[23].

Mi hija Elena ha logrado avanzar en su lucha con la depresión y después de algunos años de procurar la sanación del Salvador, ella escribió lo siguiente: "Al mirar hacia atrás, he visto que he recibido bendiciones a raíz de la prueba que he pasado [con los problemas emocionales]. Por ejemplo, he aprendido a sobrellevar los sentimientos de tristeza, a enfrentar el rechazo [...] y a controlar los sentimientos de vergüenza, entre otras cosas. Esas nuevas aptitudes me servirán el resto de mi vida. Las pruebas que he tenido me han fortalecido y siento agradecimiento por eso [...]. Durante los períodos de tristeza que tuve me sentía insignificante, pero esos momentos me dieron la oportunidad de verdaderamente ejercer la fe en el Plan de Salvación, porque sabía que mi Padre Celestial me amaba y tenía un plan para mí, y que Cristo comprendía perfectamente lo que yo estaba atravesando".

Mi amiga Naomi también ha hallado solaz para su alma. Ella me comentó lo siguiente: "El bálsamo sanador de la expiación de mi Salvador ha sido la fuente de paz y de refugio más constante a lo largo de mi trayecto. Cada vez que me siento sola en mi lucha, recuerdo que, por mí, Él ya pasó exactamente por lo mismo que yo estoy pasando […]. Me brinda esperanza saber que en el futuro mi cuerpo perfeccionado y resucitado no estará plagado de esta [aflicción] terrenal".

A todos los que estemos batallando o que estemos ayudando a alguien que sufra de alguno de estos padecimientos, les ruego que estemos dispuestos a seguir los mandamientos de Dios a fin de que siempre tengamos Su Espíritu con nosotros (véase Moroni 4:3; D. y C. 20:77). Hagamos las "cosas pequeñas y sencillas" (Alma 37:6) que nos darán la fuerza para afrontar nuestras aflicciones. Como afirmó el presidente Russell M. Nelson: "Nada abre tanto los cielos como la combinación de mayor pureza, estricta obediencia, búsqueda diligente, el deleitarse a diario en las palabras de Cristo en el Libro de Mormón, y dedicar tiempo frecuente a la obra del templo y de historia familiar"[24].

Recordemos que el Salvador Jesucristo "ciertamente llevó él nuestras enfermedades y sufrió nuestros dolores" (Isaías 53:4; véase también Mosíah 14:4). Él ha tomado nuestras debilidades sobre sí, para que sus entrañas sean llenas de misericordia, según la carne, a fin de que según la carne sepa cómo socorrernos, de acuerdo con nuestras debilidades (véanse Alma 7:12; 2 Nefi 9:21). Él vino a vendar a los quebrantados de corazón; a consolar a todos los que lloran; a dar gloria en lugar de ceniza, aceite de gozo en lugar de luto, manto de alegría en lugar de espíritu apesadumbrado (véanse Isaías 61:1–3; Lucas 4:18).

Sé que "en sol y sombra"[25] el Señor nos acompañará; que nuestras aflicciones pueden ser consumidas en el gozo de Cristo (véase Alma 31:38); que cuando una densa oscuridad se forma a nuestro alrededor, Su luz resplandece más brillante que el sol (véase José Smith—Historia 1:15–16), y que "es por la gracia por la que nos salvamos, después de hacer cuanto podamos" (2 Nefi 25:23). Sé que cuando Jesucristo vuelva a la tierra "en sus alas traerá sanidad" (Malaquías 4:2; 3 Nefi 25:2). Al final, Él enjugará toda lágrima de nuestros ojos; y ya no habrá más llanto (véase Apocalipsis 21:4). Para todos los que vengamos a Cristo y nos perfeccionemos en Él (véase Moroni 10:32), no se pondrá jamás el sol, porque Jehová será nuestra luz eterna, y los días de nuestro duelo se acabarán (véase Isaías 60:20).

PODEMOS ACUDIR AL SALVADOR EN
MOMENTOS DE PESAR Y AFLICCIÓN,
Y CONFIAR EN SU LUZ PARA QUE NOS
SOSTENGA EN LAS TINIEBLAS.

NOTAS

1. Jane Clayson Johnson, *Silent Souls Weeping*, Salt Lake City: Deseret Book, 2018, pág. 4.

2. Véanse Mateo 9:2–7, 20–22; 14:35–36; Marcos 1:40–42; 2:3–5; 3 Nefi 17:6–7.
3. "La Familia: Una Proclamación para el Mundo", *Liahona,* noviembre de 2010, pág. 129.
4. "El espíritu y el cuerpo son el alma del hombre" (Doctrina y Convenios 88:15). "Su cuerpo es el templo de su espíritu, y la manera en que utilizan su cuerpo afecta a su espíritu" (Russell M. Nelson, "Decisiones para la eternidad", *Liahona*, noviembre de 2013, pág. 107).
5. Véanse, por ejemplo, Isaías 65:19; Lucas 7:13, 3 Nefi 17:6–7; Moisés 7:28.
6. Véase "Sadness and Depression", https://kidshealth.org/en/kids/depression.html.
7. Hermana Elena Aburto, blog, hermanaelenaaburto.blogspot.com/2015/08/. También escribió: "Dios no nos avergüenza si carecemos de una habilidad. Él se complace en ayudarte a mejorar y a arrepentirte, y no espera que arregles todo al mismo tiempo. No tienes que hacerlo a solas" (iwillhealthee.blogspot.com/2018/09/).
8. Correspondencia personal.
9. Véanse Russell M. Nelson, "La inminencia de la perfección", *Liahona*, noviembre de 1995, págs. 86–88; Jeffrey R. Holland, "Sed, pues, vosotros perfectos… con el tiempo", *Liahona*, noviembre de 2017, págs. 40–42; Gerrit W. Gong, "Llegar a ser perfectos en Cristo", *Liahona*, julio de 2014, págs. 42–47; J. Devn Cornish, "¿Soy lo suficientemente bueno? ¿Lo lograré?", *Liahona*, noviembre de 2016, págs. 32–34; Cecil O. Samuelson, "What Does it Mean to Be Perfect?", *New Era*, enero de 2006, págs. 10–13.
10. Véase Juan 21:15–18; véase también Russell M. Nelson, "Los pastores, los corderos y los maestros orientadores", *Liahona*, abril de 1999, págs. 42–48.
11. Véanse Russell M. Nelson, "Jesucristo: El Maestro Sanador", *Liahona*, noviembre de 2005, págs. 85–88; Carole M. Stephens, "El Maestro sanador", Liahona, noviembre de 2016, págs. 9–12.
12. Véase *Resiliencia emocional para la autosuficiencia*, 2020, https://www.churchofjesuschrist.org/self-reliance/course-materials/emotional-resilience-self-reliance-course-video-resources?lang=spa.
13. Véase "Comprender el estrés", *Adaptarse a la vida misional*, 2013, págs. 5–10.
14. Véase Jeffrey R. Holland, "Como una vasija quebrada", *Liahona*, noviembre de 2013, pág. 40.
15. Véase David B. Bednar, "Un carácter cristiano", *Liahona*, octubre de 2017, págs. 50–53.

16. Richard G. Scott, "Cómo sanar las devastadoras consecuencias del abuso", *Liahona*, mayo de 2008, pág. 42.

17. Véase Dale G. Renlund, "Renlund: Comprender el suicidio" (video), ChurchofJesusChrist.org/study/manual/videos/understanding-suicide y "Renlund: Hablar sobre el suicidio" (video), ChurchofJesusChrist.org/study /manual/videos/talking-about-suicide; Kenishi Shimokawa, "Comprender el suicidio: Señales de advertencia y prevención", *Liahona*, octubre de 2016, págs. 18–23.

18. *Silent Souls Weeping*, pág. 197.

19. Véase Jeffrey R. Holland, "¿No somos todos mendigos?", *Liahona*, noviembre de 2014, págs. 40–42.

20. Véanse Salmos 82:6; Romanos 8:16–18; Doctrina y Convenios 24:1; 76:24; Moisés 1:1–39.

21. Véase *Adaptarse a la vida misional*, pág 20; véanse también Miqueas 7:8; Mateo 4:16; Lucas 1:78–79; Juan 8:12.

22. Véanse 2 Corintios 4:16–18; Doctrina y Convenios 121:7–8, 33; 122:5–9.

23. Jeffrey R. Holland, "Come unto Me" (devocional de la Universidad Brigham Young, 2 de marzo de 1997), speeches.byu.edu.

24. Russell M. Nelson, "Revelación para la Iglesia, revelación para nuestras vidas", *Liahona*, mayo de 2018, pág. 95.

25. "Acompáñame", *Himnos*, nro. 99.

AMEMOS
COMO ÉL AMA

Uno de los aspectos que más me impresiona del plan de salvación del Padre Celestial es el principio del amor. El amor es el mayor motivador que existe. Es una poderosa fuente de propósito, fuerza y perseverancia a lo largo de nuestra experiencia terrenal. Gracias al amor que sentimos por Dios y al amor que Él siente por nosotros, Él nos puede facultar con Su poder para hacer cosas que no sabíamos que teníamos la capacidad para hacer.

El amor que el Padre Celestial y Jesucristo tienen por nosotros explica en gran medida por qué estamos en este mundo, por qué tenemos un cuerpo mortal, por qué tenemos que pasar por sinsabores y momentos de gozo, por qué tenemos un Salvador, por qué resucitaremos algún día y por qué tarde o temprano nos reuniremos con nuestros padres celestiales.

¿Te quedaste pensando en si esa declaración es cierta? Si es así, entonces considera lo que dice en la sección 93 de Doctrina y Convenios, en la que el Señor Jesucristo nos hace esta hermosa promesa: "Para que vengáis al Padre en mi nombre, y *en el debido tiempo recibáis de su plenitud*. Porque si guardáis mis mandamientos, *recibiréis de su plenitud* y seréis glorificados en mí como yo lo soy en el Padre" (D. y C. 93:19–20; cursiva agregada).

Se nos ha prometido que, si guardamos los mandamientos del Señor, recibiremos de la plenitud del Padre. Ahora bien, ¿en qué consiste esa plenitud?

Sabemos que Su plenitud incluye el mayor de todos los dones de Dios: la vida eterna (véase D. y C. 14:7), la cual conlleva cualidades y atributos divinos. La capacidad para sentir y mostrar amor es uno de los atributos eternos de Dios. Su amor perfecto es parte de Su plenitud, esa plenitud que podemos recibir en el debido tiempo.

A Adán y a Eva se les mandó que adorasen a Dios y que se amaran el uno al otro (véase Moisés 5:5, 8; 7:33). A los israelitas también se les mandó amar a Dios con todo su corazón, alma y fuerza, y amar al prójimo[1]. Posteriormente, recibieron los Diez Mandamientos, los cuales se les dieron a ellos —al igual que a nosotros— con el fin de ayudarles a guardar los mandamientos de amar a Dios y al prójimo. ¿Cómo nos ayudan los Diez Mandamientos a amar a Dios y al prójimo?

Los mandamientos de no tener dioses ajenos, de no hacerse

imágenes, de no tomar el nombre de Dios en vano y de guardar el día de reposo nos ayudan a cultivar nuestra relación con Dios y a aumentar el amor que sentimos por Él.

Los mandamientos de honrar a nuestros padres, de no matar, de no cometer adulterio, de no hurtar, de no decir falso testimonio y de no codiciar nos ayudan a cultivar nuestra relación con los demás y a aumentar el amor que sentimos por ellos[2].

Durante Su ministerio terrenal, Jesucristo, en efecto, resumió los Dios Mandamientos cuando alguien le preguntó:

"Maestro, ¿cuál es el gran mandamiento de la ley? Y Jesús le dijo: *Amarás* al Señor tu Dios con *todo tu corazón*, y con *toda tu alma* y con *toda tu mente*. Este es el primero y grande mandamiento. Y el segundo es semejante a este: Amarás a tu prójimo como a ti mismo" (Mateo 22:36–39; cursiva agregada; véase también Marcos 12:28–31).

También les dijo a Sus discípulos: "Un mandamiento nuevo os doy: Que *os améis* unos a otros; *como yo os he amado*, que también os *améis* los unos a los otros" (Juan 13:34; cursiva agregada).

Esa enseñanza divina muestra lo importante que es que aprendamos a amar a Dios y al prójimo. Ahora, quizá nos preguntemos:

- ¿Y cómo se hace eso?
- ¿Cómo *amamos al Señor Dios* con todo el corazón, alma y mente?
- ¿De qué manera *amamos a los demás* como a nosotros mismos, del mismo modo que Jesús nos ama?

Una verdad que aprendemos de esas preguntas es que, a fin de ampliar nuestra capacidad para amar, necesitamos cultivar relaciones divinas. Nuestra relación personal con Dios y nuestras relaciones personales de rectitud con los demás son divinas, y nos pueden ayudar a llegar a ser aquello para lo cual hemos venido a la tierra. Nos pueden ayudar a ser lo mejor que podemos ser y a cumplir la medida de nuestra creación (véanse D. y C. 88:19; D. y C. 88:25).

Entonces, ¿qué debemos hacer? ¿Cómo se cultivan relaciones personales que sean divinas? Quisiera sugerir algunos principios que nos podrían servir de guía.

Primero, seguir el ejemplo de Jesucristo. Él es el ejemplo perfecto de cómo cultivar relaciones divinas. Él tiene una relación estrecha con Su Padre, lo cual se manifiesta en la manera en que el Salvador se refiere al Padre cuando se dirige a Él, en la forma en que lo respeta y lo honra, y en el hecho de que siempre desea hacer la voluntad de Su Padre. Jesús dijo: "Porque he descendido del cielo, no para hacer mi voluntad, sino la voluntad del que me envió" (Juan 6:38).

Jesucristo también nos ama a cada uno de nosotros, lo cual se manifiesta en la manera en que trataba a aquellos que se le acercaban durante Su ministerio en la tierra y en la forma en que podemos sentir Su influencia en nuestra vida cada vez que acudimos a Él. Él mostró amor por Su Padre y por cada uno de nosotros cuando se ofreció para ser nuestro Salvador y cuando, por medio de Su expiación, la cual abarca Su sufrimiento en Getsemaní, Su crucifixión y Su gloriosa resurrección, nos brindó a todos acceso a la vida eterna.

El presidente Ezra Taft Benson dijo: "Tal vez nunca lleguemos a entender en nuestra vida mortal cómo [Jesucristo] logró hacerlo; pero sí tenemos el deber de comprender por qué lo hizo. Todo lo que Él hizo fue motivado por el infinito y generoso amor que siente por nosotros"[3].

Todos tenemos el potencial de amar, pero para amar a alguien, debemos tener el deseo de conocerle y necesitamos pasar tiempo con él o ella. Asimismo, para amar al Padre Celestial y al Salvador, debemos leer las Escrituras y las palabras de los profetas, quienes testifican de Ellos; necesitamos orar con verdadera intención; necesitamos ayunar; y necesitamos guardar los mandamientos a fin de que nuestra vida esté acorde con la voluntad de Dios.

Lo mismo sucede con nuestras relaciones con los demás; a fin de llegar a sentir amor por alguien, necesitamos tener el deseo de conocerle y pasar tiempo juntos, de preferencia en persona. Todos necesitamos cultivar amistades que nos traigan bendiciones en el presente y en el futuro.

Segundo, hay que salir de nuestro caparazón. Como seres humanos, tenemos la tendencia a construir un caparazón a nuestro alrededor. Quizá se deba a que sentimos que necesitamos protegernos contra el daño. Se trata de una conducta natural, ya que no queremos salir lastimados, porque puede que en el pasado nos hayan lastimado o hayamos visto a otras personas sufrir. Si bien necesitamos protegernos y discernir entre el bien y el mal, me pregunto si a veces vamos demasiado lejos, tanto así que preferimos aislarnos en lugar de abrirnos a la amistad y al amor.

El élder Neal A. Maxwell dijo: "Aunque el amor no sea correspondido, nunca deja de surtir algún efecto"⁴. Eso es muy cierto. Cada acto de bondad surte un efecto positivo, aunque no veamos los resultados de inmediato. Las demás personas perciben nuestras buenas intenciones y, a pesar de que tal vez no reaccionen de la manera en que lo esperábamos, al final la bondad siempre acarrea más bondad.

Si dedicamos demasiado tiempo y esfuerzo a construir un caparazón a nuestro alrededor, corremos el riesgo de distanciarnos de la influencia de Dios en nuestra vida y de la buena influencia que los demás pudieran ejercer en nosotros. Ponerse demasiado cómodos en el interior del caparazón va en contra de la naturaleza del evangelio de Jesucristo; va en contra de Su doctrina. No hemos venido a la tierra a aislarnos.

No debemos tener temor de que nuestras vulnerabilidades salgan a flote. Todos somos vulnerables y nos necesitamos el uno al otro a fin de poder vencer esas vulnerabilidades que afrontamos en esta vida. En muchos casos, nosotros podemos ser el medio por el cual el Padre Celestial conteste las oraciones de otras personas y, la mayoría del tiempo, nuestras oraciones se contestan mediante otras personas.

Es mejor centrarse en los demás que en nosotros mismos. Al

centrarnos en los demás podemos conocer sus debilidades y virtudes, y así nos damos cuenta de que no estamos solos en nuestros dolores, en nuestras batallas y en nuestros esfuerzos por acercarnos más a Dios. Siempre que ayudamos a los demás y siempre que aceptamos la ayuda de otras personas, nos fortalecemos y maduramos.

Por otra parte, es importante dar tiempo suficiente para que las relaciones crezcan y den fruto. A veces me da la impresión de que muchos de nosotros, por decirlo así, le sacamos la tarjeta roja a otras personas, como en el fútbol, después de solo unos instantes de socializar con ellas o en cuanto vemos que cometen un solo error. Yo no me hice amiga de mis amistades más cercanas inmediatamente después de conocernos. De hecho, al mirar atrás, me doy cuenta de que, al principio, muchas de esas amistades no parecían demasiado compatibles que digamos.

Tercero, orar para sentir ese amor y ser pacientes. Afortunadamente, no estamos solos en nuestro afán por amar a un nivel más elevado. Todos estamos en la lucha por cultivar esa clase de amor y lograrlo es una tarea de toda la vida. Todos estamos aprendiendo a amar: amar de una manera mejor; amar al Padre Celestial y al Salvador con todo el corazón, alma y fuerza; y amar a los demás de una forma más santa.

Diga lo que diga el mundo, el cultivar relaciones con los demás es una decisión; nosotros decidimos a quién nos vamos a esforzar por amar y a quién no. Podemos emplear nuestro albedrío para actuar de forma deliberada en lo que respecta a cultivar relaciones divinas con Dios y con el prójimo.

No existe ningún molde en el que todos debamos encajar. Cada uno es diferente y cada quien tiene algo importante que aportar en la obra de Dios. Conforme guardemos los convenios que hemos hecho con Dios, escribiremos nuestra propia historia y, si se lo permitimos, el Señor Jesucristo nos llevará de la mano mientras la escribamos.

Por favor, vive de acuerdo con los mandamientos de Dios; vive de manera tal que aprendas a seguir al Espíritu Santo; vive a sabiendas de que tienes un Padre Celestial que te ama y que tiene un plan para ti; vive teniendo presente que cuentas con un Salvador que siempre está con los brazos abiertos y dispuesto a tomarte de la mano y levantarte cada vez que tropieces; da señales de vida; vive como si tuvieras mucho que ofrecer a Dios y a los demás; y vive como si los demás tuvieran mucho que ofrecer, tanto a Él como a los demás.

Por favor, no te des por vencido. No renuncies a tu fe, no renuncies a tu empeño por vivir los mandamientos y acercarte a Dios, y no renuncies a tus esfuerzos por cultivar amor por los demás. Sé paciente contigo mismo y con las personas que te rodean.

El Salvador siempre está dispuesto a elevarnos cada vez que acudimos a Él. La forma en que nos sujeta es lo suficientemente fuerte para sostenernos y darnos la fuerza que necesitamos para perseverar. Su amor es puro, perfecto, abundante y eterno.

"… la caridad es el amor puro de Cristo, y permanece para siempre; y a quien la posea en el postrer día, le irá bien. Por consiguiente, amados hermanos [y hermanas] míos, pedid al Padre con toda la energía de vuestros corazones, que seáis llenos de este amor que él ha otorgado a todos los que son discípulos verdaderos de su Hijo Jesucristo; para que lleguéis a ser hijos [e hijas] de Dios; para que cuando él aparezca, seamos semejantes a él, porque lo veremos tal como es; para que tengamos esta esperanza; para que seamos purificados así como él es puro" (Moroni 7:47–48).

Ruego que podamos seguir cultivando relaciones divinas con el Padre Celestial, el Salvador Jesucristo y nuestro prójimo, para que siempre tengamos con nosotros el Espíritu del Señor.

PODEMOS ACUDIR AL SALVADOR AL
EMULAR LA MANERA EN QUE ÉL AMA
A TODOS LOS HIJOS DE DIOS.

NOTAS

1. Véanse Levítico 19:18; Deuteronomio 6:5; 10:12; 11:1; 19:9, 18; 30:6, 16, 20; Josué 22:5.
2. Véanse Éxodo 20:1–17; Mosíah 13:12–24; Doctrina y Convenios 42:18–28; 59:5–24.
3. Ezra Taft Benson, "Confiemos en Jesucristo", *Liahona*, enero de 1984, págs. 5–6.
4. Neal A. Maxwell, "El hermano ofendido", *Liahona*, enero de 1983, pág. 75.

REMONTÉMONOS
AL PASADO

Al mirar atrás, me doy cuenta de que mi vida, como es el caso de cada uno de nosotros, no ha sido un lecho de rosas. Ha habido baches, tramos empinados, curvas inesperadas y trechos cuesta abajo que me han atemorizado. Sin embargo, puedo decir con certeza que la mano de Dios siempre me ha guiado en los momentos en los que he tenido la humildad de reconocer que necesito Su ayuda divina en todo momento.

La motivación más grande que tuve para unirme a La Iglesia de Jesucristo de los Santos de los Últimos Días fue mi hijo Xavier y el inmenso amor que sentía por él. Todo lo que quería era que él fuera un buen niño. En esa etapa de mi vida estaba dando pequeños pasos de fe hacia mi Padre Celestial y el Salvador Jesucristo. Desde entonces, Ellos me han demostrado en muchas maneras tangibles y sutiles que me aman y que me conocen personalmente. Ahora también tengo a Carlos, quien es mi compañero y amigo eterno; tengo otros dos hijos, Elena y Carlos Enrique; y hasta el momento tengo una nuera y tres nietos. A todos ellos los amo con todo el corazón y me regocijo en mi posteridad.

Debido al perfecto amor que nos tiene, todo lo que el Padre Celestial espera de nosotros es que seamos buenas niñas y buenos niños. Él desea que hagamos convenios sagrados con Él y que hagamos un esfuerzo sincero por guardarlos. Él desea que lo amemos y que confiemos en Él; que escuchemos a Su Hijo, nuestro Salvador, para que recibamos Sus dones eternos y que amemos a los demás como el Salvador nos ama.

Sé que, si nos abstenemos de toda impiedad y amamos a Dios con todo nuestro poder, mente y fuerza, entonces la gracia de Cristo nos es suficiente y por su gracia podremos ser perfectos en Él (véase Moroni 10:32).

También sé que de forma individual y colectiva podemos acudir y acercarnos a Él, siendo unánimes, para que nos pueda sanar y salvar (véase 3 Nefi 17:9–10).

PODEMOS ACUDIR AL SALVADOR AL MISMO TIEMPO QUE ÉL NOS TIENDE SU MANO CON UN AMOR PERFECTO.